CARTAS DE AMOR
DE UMA SANTA

CARTAS DE AMOR
DE UMA SANTA

De
Gianna Beretta Molla
para seu marido

Organização de Elio Guerriero

Tradução de Mário Gonçalves

DIREÇÃO EDITORIAL: Pe. Flávio Cavalca de Castro, C.Ss.R.
Pe. Eduardo Catalfo, C.Ss.R.
COORDENAÇÃO EDITORIAL: Elizabeth dos Santos Reis
COPIDESQUE: Leila C. Dinis Fernandes
COORDENAÇÃO DE REVISÃO: Maria Isabel de Araújo
REVISÃO: Vanini Nazareth Oliveira Reis
Marilena Floriano
DIAGRAMAÇÃO: Paulo Roberto de Castro Nogueira
CAPA: Mauricio Pereira

Dados Internacionais de Catalogação na Publicação (CIP)
(Câmara Brasileira do Livro, SP, Brasil)

Molla, Gianna Beretta, 1922-1962.
    Cartas de amor de uma santa - de Gianna Beretta Molla para seu marido / Organização de Elio Guerriero; tradução de Mário Gonçalves. — Aparecida, SP: Editora Santuário, 2002. (Coleção Vida a dois, 15)

    Título original: Il tuo grande amore mi aiuterà a essere forte - Lettere al marito

    ISBN 85-7200-785-7

    1. Amor 2. Cartas italianas 3. Espiritualidade 4. Família - Vida religiosa 5. Molla, Gianna Beretta, 1922-1962 I. Título. II. Série.

01-5419   CDD-248.4

Índices para catálogo sistemático:

1. Espiritualidade familiar: Cristianismo 248.4

12ª impressão

Todos os direitos em língua portuguesa
reservados à **EDITORA SANTUÁRIO** — 2023

Rua Pe. Claro Monteiro, 342 – 12570-045 – Aparecida-SP
Tel.: 12 3104-2000 – Televendas: 0800 - 0 16 00 04
www.editorasantuario.com.br
vendas@editorasantuario.com.br

PREFÁCIO

"Comunicação" entre noivos primeiro e entre marido e mulher depois ≡ ou seja, "comunicação familiar" ≡ é sinal e sustentação de amor autêntico e expressão de verdadeira vida em família. Semelhante comunicação, de fato, tem suas raízes na própria realidade da família ≡ para a qual o tempo de noivado é preparação importante e insubstituível ≡, realidade baseada no amor e alimentada pelo amor. Originada no matrimônio, a família constitui-se da experiência cotidiana e vital da comunicação, enquanto comunidade de pessoas que "recebem a missão de guardar, revelar e comunicar o amor, qual reflexo vivo e participação real do amor de Deus pelo ser humano e do amor de Cristo pela Igreja, sua esposa" (*Familiaris consortio*, n. 17). A família, por conseguinte, pode e deve ser vista e definida como o primeiro lugar, privilegiado e originário da "comunicação". A família é ≡ por natureza e por vocação inata ≡ comunicação! Uma comunicação que busca uma total e recíproca doação de si entre os esposos, que se sentem chamados a levar para sempre uma vida "a dois" e "em dois". Uma comunicação, além disso, que se torna concreta, fazendo que a família seja o único lugar verdadeiramente humano para gerar e comunicar nova vida, cooperando com Deus criador como que interpretando o seu desígnio de amor (cf. *Gaudium et spes*, n. 50), seja o lugar original e mais importante em que, no dia a dia, se exprime, se comunica e se constrói um sentido da vida, através da missão educativa dos pais.

As *Cartas ao marido* da beata Gianna Beretta Molla constituem um exemplo simples e extraordinário dessa comunicação. "Simples" porque revela a realidade cotidiana de uma relação de amor. É uma relação que, passando pelas fases entusiastas do namoro e da paixão de um para com o outro, valendo-se das expressões típicas existentes entre os noivos e os esposos, assume os tons da ternura, revela a alegria e o amor pelos filhos, preocupa-se com o bem-estar do outro, manifesta momentos de apreensão frente a todo sentido do mal-estar dos filhos, está atento às pequenas coisas necessárias à vida diária (até ao rol da despesa ou das coisas a levar para as férias), preocupa-se com os problemas do outro e, de qualquer maneira, compartilha-os e procura ajudar a enfrentá-los e a resolvê-los. "É extraordinária" sobretudo a frequência com que Gianna e Pietro trocam cartas: uma frequência que desperta nossa atenção principalmente hoje, quando a troca de cartas se tornou tão rara. Uma frequência que pode parecer assaz excessiva, mas que diz mais que toda palavra: como os dois não conseguiam viver nem refletir sem se comunicar, sem falar de si, dos próprios sentimentos, do que faziam, das próprias alegrias e fadigas, das próprias preocupações, da própria fé.

Além de bastante frequente, essa correspondência epistolar é um exemplo extraordinário de comunicação também e sobretudo porque se permite entrever alguns dos mais belos sinais luminosos da "vida segundo o Evangelho" ≡ ou seja, da "espiritualidade" ≡ que caracterizou a experiência de Gianna e, com ela, a de seu marido Pietro, em cujas cartas também se percebem alguns sinais contidos nas cartas de sua esposa que poderão contribuir para a definição de um quadro mais completo da espiritualidade do casal e da família cristã.

O que se percebe através da leitura das cartas é um genuíno quadro de "vida familiar segundo o Evangelho". Como tal, fundamenta-se no pressuposto de que a escolha e a vida matrimonial são graça e vocação; encontra no matrimônio o fundamento, o paradigma e o modelo de toda a experiência de casal e de família; exprime-se através de uma vida de fé, de diálogo com Deus, de serviço ao outro.

Foi assim para Gianna, que dá testemunho do Evangelho como esposa e mãe, que mesmo na vida conjugal reconheceu em Jesus o apoio preferido.

Ela olhou para o matrimônio e para a família como vocação autêntica, vocação santa, desejosa de fazer da própria família "um verdadeiro cenáculo em que Cristo reinasse e se encontrasse em casa a guiar e a dirigir todos os nossos passos, a iluminar todas as nossas decisões, todas as nossas ações".

Ela viveu com alegria a sua vida matrimonial e familiar em contínua preocupação, até o final do noivado, em fazer a vontade de Deus, na certeza de que "o amor deve ser total, pleno, completo, orientado pela lei de Deus, e deve imortalizar-se no céu" e de que se casar significa "receber o Sacramento do Amor. Tornamo-nos colaboradores de Deus na criação; assim podemos dar-lhe filhos que o amem e o sirvam".

Foi inteiramente levada a fazer da nova existência uma experiência de total partilha com a vida do marido, amando-o verdadeiramente, ou seja, desejando e buscando a sua felicidade ≡ "é meu desejo vê-lo feliz e saber que está feliz; diga-me como deverei ser e o que deverei fazer para fazê-lo feliz"; "como queria também lhe ser sempre motivo de alegria e consolo, mas, às vezes, sou acometida da dúvida de ser um peso para você" ≡, pedindo-lhe perdão por toda falta e ajuda na correção, quando não fosse capaz de amá--lo de coração: "quero dizer para que me puxe as orelhas toda vez que não tiver juízo!"; "Pietro, se você vir que faço alguma coisa que não é do seu agrado, diga-me, corrija-me, entendeu? E sempre lhe serei grata".

É constante, por outro lado, o sentido de fé que transparece de suas páginas e contínua a referência à própria oração, ao marido e aos filhos: "Faltam apenas vinte dias e depois serei... Gianna Molla! Você não acha interessante fazermos um tríduo para nos prepararmos espiritualmente antes do casamento? Nos dias 21, 22 e 23, santa missa e comunhão, você em Ponte Nuovo, eu no Santuário de Nossa Senhora da Assunção"; "... quantas orações por sua família! Sempre tive tempo de ouvir e seguir a santa missa. Infelizmente já não posso mover-me..."; "Gigetto esperava por você desde ontem, quando Zita chegou. Chamou-o da janela por mais de 15 minutos; depois, para consolá-lo, levei-o até à curva onde está a capelinha de Nossa Senhora: rezou a Ave-Maria por seu papai e voltamos para casa".

Positivo e delicado é também o sentido da maternidade, através da qual fez da sua experiência familiar um verdadeiro ato de amor e de serviço ao outro: "O Senhor abençoou de novo o nosso amor, dando-nos mais um filho: estou feliz, e com a ajuda da Mãe celeste e com você ao meu lado, você que é tão bom, compreensivo e amoroso, não mais me amedrontam os sofrimentos pela nova gravidez".

Não faltam sinais do profundo realismo cristão que sabe enfrentar as provações e os sofrimentos: "É certo que também passaremos por dificuldades, mas se nos amarmos sempre como nos amamos agora, com o auxílio de Deus, saberemos juntos suportá-las"; "Querido Pietro, jamais teria imaginado que fosse necessário sofrer tanto para ser mãe!"

Esses são alguns dos indícios que se obtém pela leitura das *Cartas ao marido*. São, em todo caso, uma prova preciosa de espiritualidade conjugal e familiar, como autêntico caminho de santidade: uma espiritualidade ≡ como faz lembrar o *Direttorio di pastorale familiare per la Chiesa in Italia* ≡ "fundamentada no sacramento do matrimônio e continuamente alimentada e plasmada pela Eucaristia", que "age e se exprime não fora da vida conjugal e familiar, mas no interior dela, através da realidade e dos esforços cotidianos que a caracterizam, na fidelidade a todas as exigências do amor conjugal e familiar e na sua alegre atuação" (n. 112).

Um sincero agradecimento a quem cuidou desta edição e, ainda antes, a quem ≡ como o engenheiro Pietro Molla ≡ guardou com carinho estas cartas, colocando-as agora à disposição de todos aqueles que desejam lê-las. Com o desejo de que a leitura desse acervo de cartas possa ajudar muitos noivos e esposos, para que eles ≡ com o exemplo da beata Gianna e sustentados por sua intercessão ≡ possam fazer dela o seu caminho pré-matrimonial, matrimonial e de família uma "vida conforme o Evangelho", fonte de sentido e de alegria indestrutíveis.

† Carlo Maria Cardeal Martini
Arcebispo de Milão

APRESENTAÇÃO

As cartas de noivado tornaram-se, a meu ver, grandes rajadas de vento, portadoras de entusiasmo e de alegria, de ternura e de amor, um convite expressivo e providencial a usufruir-se pela beleza da vida e pelas maravilhas da criação, a viver a fé com alegria e confiança na Providência.

Com as suas declarações "... Quero mesmo fazê-lo feliz e ser aquela que você deseja: bondosa, compreensiva e disposta aos sacrifícios que a vida nos há de oferecer..." e "... Pretendo doar-me para formarmos uma família verdadeiramente cristã..." na primeira carta (21 de fevereiro de 1955), Gianna levou o meu ideal e a minha vontade a livremente fazer o mesmo.

Nas outras cartas, recorrer a Deus, à sua ajuda e à sua bênção, à confiança nele, ao nosso dever de lhe sermos agradecidos, mostrou-me quão profunda era a sua fé e quão profundo era o seu espírito de oração.

Na carta de 9 de abril do mesmo ano, Gianna, em sua humildade, escreveu-me: "... Pietro, gostaria de ser para você a mulher forte do Evangelho. No entanto, sinto-me fraca..."

Na realidade, tornou-se, de repente, uma mulher forte. Chamei-a para residir na pequena casa de campo no recinto da fábrica da qual eu era diretor, enquanto a sua ficava pronta. E depois, no triênio de 1956-1957-1958, greves prolongadas e muito pesadas fizeram-nos partilhar diretamente das preocupações e angústias; não mais me pediu para mudar de casa, sabia que essa residência favorecia o cumprimento dos meus deveres e das minhas responsabilidades.

Com os convites, de uma hora para outra, aceitos por mim, para celebrar o nosso noivado oficial com a santa missa e a comunhão e, sobretudo, expressa na carta de 14 de setembro de 1955, de preparar-se para receber o *Sacramento do Amor* com um tríduo de missas e comunhões, Gianna me edificou.

Na comunhão de vida e de amor da nossa família, que o nascimento dos filhos tornava ainda mais ampla e empenhada, Gianna sempre se sentiu plenamente feliz. As suas cartas comprovam-no e sinto-me satisfeito lembrando-me disso.

Ajoelho-me diante dela: mulher, noiva, esposa e mãe maravilhosa e forte, que, em seu amor pela vida e com os filhos nos braços, soube subir aos píncaros do amor maior revelado por Jesus.

Pietro Molla

INTRODUÇÃO

As *Cartas ao marido* da beata Gianna Beretta Molla constituem um novo e significativo capítulo da espiritualidade cristã. Mais expressivas do que um tratado de teologia, essas cartas são a demonstração convincente de que o caminho da santidade não passa necessariamente pela vida religiosa ou pelo ministério sacerdotal, mas pode medrar no meio do mundo, vivendo-se a própria vocação de esposa e mãe. Essa tradicional verdade cristã (como se diz nos Atos dos Apóstolos, santo é sinônimo de cristão) atravessou os séculos, um após o outro, esquecida. Dentre os diversos tipos de santos (mártires, confessores, doutores, virgens), não parecia haver espaço para os cristãos que escolheram a vida de casado e viveram-na como missão a eles confiada por Deus, como o campo onde fazer frutificar os seus talentos. Mais ainda. As poucas pessoas casadas (Rita, Nicolau de Flüe, Francisca Romana, Joana de Chantal, Luísa de Marillac), declaradas santas pela Igreja, tinham quase renegado o matrimônio. Gianna Beretta, ao contrário, morreu casada e suas cartas são a prova de sua alegria pela vida de comunhão com o marido, pela intensidade e ternura de seu amor pelos filhos. Por outro lado, erguendo por alguns instantes o véu de sua vida privada, ela nos faz ver que o amor de Cristo não tira a beleza do namoro, da atração e da paixão pelo amado, pela relação e pela vontade de dedicação aos filhos. São, antes, sentimentos que descobrimos aqui tão puros como pura é a fonte de águas correntes.

Ao iniciar a *Reflexão sobre a Igreja*, o cardeal de Lubac chama-nos a atenção para os sofrimentos de muitos cristãos proibidos de falar do mistério da Igreja, "ao qual deveriam simplesmente desejar e adorar"[1]. Não obstante isso, ele reserva o momento de falar da Igreja, de lançar as bases de uma eclesiologia sólida por causa das incompreensões que, entre as duas guerras, estava exposta a concepção da comunidade fundada por Jesus Cristo. Acredito que seja hoje necessário aplicar o raciocínio do cardeal à vida matrimonial. No momento em que a concepção cristã do matrimônio é mal-interpretada e escarnecida por muitos, deve-se esquecer da discrição para propor a beleza entusiasta da vida de comunhão entre os cônjuges; sobretudo contra a opinião geral dos maledicentes, é urgente repetir, com o testemunho mais do que com palavras, que o matrimônio cristão pode ser perfeitamente vivido, é uma maneira racional e humanamente gratificante de gastar a própria vida. É este o sentido profundo da beatificação de Gianna Beretta Molla e da publicação de suas cartas ao marido.

Para tornar mais fácil a compreensão dessas mesmas cartas, resolveu-se dividir esta apresentação em duas partes: um resumo da biografia da beata Gianna e alguns dados e considerações a respeito das cartas.

1. A vida

Os pais de Gianna ≡ Alberto Beretta (1881-1942) e Maria De Micheli (1887-1942) ≡ integravam-se radicalmente na tradição do catolicismo lombardo do final do século XIX. Do ponto de vista social, os Beretta estavam bem de vida, mas não demonstravam riqueza e não negavam auxílio aos mais necessitados. O pai era empregado na fábrica de tecidos Cantoni de Milão, onde desempenhava a função de administrador; a mãe, apesar de ser diplomada professora de educação infantil, levava vida de dona de casa para seguir mais de perto o crescimento e a educação dos filhos.

Depois do casamento, realizado aos 12 de outubro de 1908, o casal estabeleceu-se em Milão, no largo do Risorgimento. Assí-

---

[1] H. DE LUBAC, *Meditazione sulla Chiesa*, Jaca Book, Milano, 1979, p. 8.

duos frequentadores da vizinha igreja dos Capuchinhos, na rua
Monforte, entraram ambos na ordem terceira franciscana e impri-
miram assim à sua vida o ideal da pobreza e paz proposta pelo
Pobrezinho de Assis[2]. Além disso, o filho, Padre Giuseppe, deu
um testemunho cuja beleza justifica a enorme extensão da citação: "Mamãe foi verdadeiramente a mulher forte de que fala a
Escritura. Seu dia começava por volta das cinco da manhã, quando papai se levantava para ir à primeira missa e iniciar diante do
Senhor e em seu nome o seu dia de trabalho. Ia sozinho, porque
mamãe ficava em casa para preparar-lhe o café da manhã e, numa
pequena sacola, a refeição do meio-dia. Depois que papai partia
para Milão, seu lugar de trabalho, mamãe passava por nossas ca-
mas e, descobrindo o nosso rosto, admirava-nos. Sabíamos que
dentro em pouco iria à igreja para assistir à santa missa e nos
vestíamos depressa, felizes por ajoelhar-nos ao lado dela, a fim de
preparar-nos para receber Jesus na santa comunhão e fazer com
ela a ação de graças. Que palavras maravilhosas sugeria-nos dizer
a Jesus! Depois, de volta para casa, tomávamos o café da manhã e
íamos, em seguida, para a escola. E papai? Homem de poucas
palavras, mas que eram fruto de reflexão e de sabedoria. Com
certeza em harmonia de fé e de piedade com mamãe: um homem
de bem, no qual se podia confiar de olhos fechados. Voltava de
Milão à noite, e nós íamos ao seu encontro em grupos de dois ou
três à estação de chegada da linha férrea funicular da parte nova
da cidade, para carregar-lhe a sacola e, com nossa tagarelice,
tirávamo-lhe do rosto os sinais de cansaço. Bastava-lhe ultrapas-
sar os umbrais da porta, encontrar o sorriso de mamãe e o alegre
acolhimento de todos os seus filhos para tornar totalmente perfei-
ta a sua serenidade. Era hora do jantar e tudo já estava pronto.
Depois de uma breve oração, sentávamo-nos alegres à comprida
mesa. Como é bom sermos muitos em volta dos pais! Agradava-
-lhe escutar cada um: como íamos na escola e, quando fazíamos

---

[2] Esta e outras notícias devo a ANTONIO RIMOLDI, "Gianna Beretta Molla. Una vita per la vita (1922-1962)", em *Pro manuscripto*.

alguma arte, mostrava-se zangado, a fim de se fazer entender, sem muitas palavras, que não deveria acontecer de novo. Terminado o jantar, enquanto papai fumava seu charuto, a nossa irmã mais velha, Amalia, exímia pianista, fazia-nos escutar e apreciar as mais belas sonatas de Chopin, Bach e Beethoven. Vinha depois um outro momento importante na vida de nossa família, o da recitação do santo rosário. Papai, de pé, diante da imagem de Nossa Senhora, ao lado dos maiores e, nós, os menores, em volta de mamãe que nos ajudava a responder até que adormecêssemos apoiados a seus joelhos"[3].

Papai Alberto e mamãe Maria tiveram ao todo treze filhos: cinco, entretanto, devido à medicina pediátrica incipiente da época, não foram além dos primeiros anos de vida. Os outros, pelos quais Gianna sempre demonstrou grande afeto são: Amalia, apelidada Iucci, Francesco, apelidado Cecco, Ferdinando, Enrico, futuro Padre Alberto, Zita, Giuseppe, futuro sacerdote e autor do testemunho acima transcrito, e Virginia, futura religiosa canossiana.

O casal Beretta faleceu em 1942, deixando na memória dos filhos, dos parentes e dos conhecidos a lembrança de uma vida cristã total e generosamente dedicada ao serviço de Deus e do próximo[4].

Infância e juventude

A beata Gianna Beretta Molla é o décimo segundo filho do casal, o terceiro dentre as mulheres e o sétimo filho dos irmãos que sobreviveram aos primeiros anos de vida. Nasceu em Magenta, na casa dos avós paternos, em 4 de outubro de 1922, dia de São Francisco. Por devoção ao Pobrezinho de Assis, os pais, ambos da ordem terceira franciscana, acrescentaram ao nome de Giovanna, o de Francesca. Com esse nome foi batizada uma semana depois do nascimento, na igreja paroquial de São Martinho, pelo tio por parte de pai, Padre Giuseppe. A família voltou para

---

[3] Testemunho de Giuseppe Beretta em *Terra Ambrosiana*, 1 (1994), p. 33-34.

[4] "Posizione sulle virtù" da Beata Gianna Beretta Molla, em *Pro manuscripto*, Roma 1989, p. 515.

Milão, largo do Risorgimento, onde Gianna passou os primeiros anos de vida aos cuidados dos irmãos e irmãs[5], respirando a profunda atmosfera cristã reinante na família. Em 1925, transferiu-se para Bérgamo, para a cidade alta, mas o estilo de vida da família continuou o mesmo. Preparada pela mãe e pela irmã mais velha Iucci, Gianna fez a Primeira Comunhão no dia 4 de abril de 1928, com a idade de cinco anos e meio. Desde então, toda manhã, acompanhava a mãe para assistir à santa missa. Em 1928, começou a carreira escolar na escola infantil de Beltrame de Colle Aperto, em Bérgamo. Segundo o testemunho da irmã mais nova, Irmã Virginia, "Gianna era de temperamento bastante calmo, transparente, sincero, ativo"[6]. Não era muito brilhante na escola, mas o ambiente familiar estimulou-a e ela tomou gosto para estudar com maior empenho. Em 1930, foi crismada na Catedral de Bérgamo e, nesse mesmo ano, frequentou a escola das Irmãs francesas de *La Sagesse*. Nos anos seguintes, pelo contrário, por causa da doença da mãe, juntamente com o irmão Giuseppe e a irmã Virginia, frequentou a escola das Irmãs canossianas. Em 1933, iniciou a quinta série do primeiro grau, nosso antigo curso ginasial, no liceu público Paolo Sarpi. São desse ano os primeiros documentos que temos de Gianna. São cartas enviadas aos irmãos e aos pais, nas quais revela grande apego à família, mas também o cansaço pelo estudo. Em 1936, no exame da oitava série do primeiro grau, foi reprovada em italiano e latim. Durante o verão, teve de permanecer em Bérgamo, de onde escreveu aos pais, em merecidas férias no lago Maior em Vigiona: "Aqui estou, querida mamãe; hoje infelizmente sozinha, e resolvi escrever, porque assim passo uma parte de meu tempo em sua companhia. Entrei na Escola de doutrina em São Vigílio; assim, firmei-me no estudo..."[7]

Após ter passado com muita dificuldade no exame de setembro, Gianna frequentou a oitava série do primeiro grau no institu-

---

[5] *Ibid.*
[6] *Ibid.*, p. 103.
[7] Carta de 6 de setembro de 1936.

to Paolo Sarpi de Bérgamo. No ano seguinte, a família mudou-se para Gênova, onde a menina adquiriu uma personalidade definida e, sobretudo, aprofundou sua vida cristã. Continuou seu tirocínio escolar no Instituto das Irmãs Doroteias de Quinto al Mare, onde, na primavera de 1938, participou de um retiro espiritual pregado pelo padre jesuíta Michele di Avedano. Do retiro, que representou uma transformação significativa na vida da menina de 15 anos, existe um pequeno caderno com o título de *Recordações e Preces*. Ele é o resumo das palestras do Padre Avedano, os propósitos e as preces para recitar durante o dia. Também melhorava a avaliação escolar de Gianna, que, no final da primeira série do segundo grau, foi promovida com boas notas. As condições de saúde, ao contrário, ofereciam algumas preocupações, a ponto de, no começo do novo ano escolar, os pais decidirem mantê-la em casa, a fim de que recuperasse sua fraca constituição física. Gianna aceitou de bom grado a decisão e preenchia o tempo livre com uma série de atividades que mostram sua delicadeza de espírito: sob orientação da mãe, progrediu no estudo de piano, pintava quadros a óleo, dando livre curso a seu amor à natureza, ajudava nos afazeres domésticos. Teve sobretudo oportunidade de conhecer e dedicar--se à Ação católica, onde ficou por longo tempo, durante o qual desenvolveu o seu carisma de liderança. Outro presente desses anos foi o encontro com o Padre Mario Righetti (1882-1975), um dos protagonistas do movimento litúrgico na Itália, o qual proporcionou à jovem o amor à prece pública da Igreja.

Após o ano de interrupção, Gianna retomou os estudos no liceu clássico das Irmãs Doroteias, em Gênova Albaro, obtendo sempre bons resultados. Terminou o seu tirocínio escolar em junho de 1942, em plena Segunda Guerra Mundial. O ano de 1942, de resto, foi um ano de duras provações. Por causa do agravamento das condições de saúde do pai e dos contínuos bombardeios a Gênova, a família Beretta decidiu voltar para Bérgamo. Ficaram na cidade lígure os dois irmãos mais novos que tinham de terminar os estudos do primeiro grau. Em abril de 1942, no entanto, morreu de repente a mãe Maria e, em outubro desse mesmo ano, o pai Alberto. Gianna sentiu com pesar a falta dos pais, mas prosseguiu com o entusiasmo de sempre os estudos e a dedicação à vida da Igreja. A família, contudo, orientada pelo irmão mais velho, Francesco, fixou-se definitivamente em Magenta, de onde Gianna podia ir facilmente a Milão, à universidade. Escolheu medicina, seguindo o exemplo dos irmãos Ferdinando e Enrico, mas sobretudo para realizar a sua intenção de ajudar o próximo, proporcionando alegria e paz aos que sofrem. Nos anos trágicos da guerra, das lutas intestinas e da derrota do fascismo, Gianna continuava em Milão para frequentar o curso de medicina. Tendo-se agravado, no entanto, a situação no início do quarto ano (1945-1946), a jovem mudou de cidade e prosseguiu os estudos em Pávia. Nesse ínterim, a Itália, saída da guerra, preparava-se para a volta à república e à reconstrução. Como muitos jovens da época, Gianna foi à luta com coragem e paixão. A sua área preferida de ação era a Ação católica: primeiro foi delegada pelos mais jovens com a incumbência de acompanhá-los na educação e no crescimento espiritual; de 1946 a 1949 foi presidente da Juventude feminina. Auxiliada pelas irmãs e pela Irmã Marianna Meregalli, religiosa canossiana que se tornou sua amiga e diretora espiritual, empreendeu, então, um grande número de projetos: conferências, peregrinações, esportes, diversões e não raramente acorria às casas de família para ajudar os jovens mais necessitados.

Inúmeras são as teorias que falam de um método educativo baseado não na habilidade do falar, mas na caridade e na capacidade do escutar. Vejam o que declarava uma das suas jovens: "No seu apostolado, dedicava-se sobretudo à caridade, à aproximação individual; interessava-se por todos os problemas íntimos e de família, onde quer que considerasse útil intervir com sua ajuda, mediante uma palavra de encorajamento, de conselho e de conforto"[8].

Um ano decisivo para a entrada da Itália no cenário internacional foi 1948. Como grande parte dos católicos de então, Gianna

---

[8] Depoimento de Enrica Parmigiani citado por Fernando da Riese, *Un "sì" alla vita. Gianna Beretta Molla*, San Paolo, Roma, 1980, p. 45.

empenhou-se na luta vitoriosa da campanha eleitoral da Democracia cristã. As inúmeras atividades da jovem, todavia, não acarretaram prejuízo à escola: dia 30 de novembro de 1949, obteve a tão desejada láurea em medicina e, no ano seguinte, a nova doutora já pôde abrir um ambulatório em Mesero, a cinco quilômetros de Magenta. O ingresso na profissão determinou uma reviravolta na organização de sua vida, mas não na vontade de doar-se. É dessa época uma significativa observação sobre a profissão de médico: "Hoje, infelizmente, há superficialidade também em nosso trabalho. Curamos os corpos, mas muitas vezes sem competência.

— Desempenhemos bem nossa parte. Estudemos com afinco a nossa ciência.

— Sejamos médicos honestos, de fé.

— Tenhamos um cuidado especial, sabendo que são nossos irmãozinhos, tenhamos grande delicadeza.

— Não nos esqueçamos da alma do doente"[9].

Sempre fiel a esse programa, a jovem médica desejava aprofundar os seus conhecimentos e matriculou-se num curso de especialização em pediatria, em Milão. A escolha foi determinada pelo grande amor às crianças e pela atenção às mães. Gianna, de resto, tinha o sonho de unir-se ao seu irmão Padre Alberto, que era missionário no Brasil, e que, com a ajuda do outro irmão, o engenheiro Francesco, estava construindo um moderno hospital em Grajaú, no Estado do Maranhão. Com essa finalidade, frequentou a Clínica Obstétrica Mangiagalli e estudou português, preparando-se para partir.

Escreveu ao irmão: "Caríssimo Padre Alberto, estou felicíssima por ir e penso ser esta a minha vocação. Rezei e, no fim do mês, farei retiro espiritual para que o Senhor me oriente na escolha"[10].

Com a volta de Francesco, que se referia às possíveis doenças que ameaçavam um físico não muito forte, os familiares ficaram

---

[9] O texto classificado como documento 27-31 é mencionado em A. RIMOLDI, *op. cit.*, p. 131.

[10] Carta ao irmão Padre Alberto, em 12 de setembro de 1952.

com medo. Eles sabiam que Gianna, como mãe Maria, não suportava o calor e aconselharam-na a mudar de ideia. O diretor espiritual e o bispo de Bérgamo também tinham a mesma preocupação. Dom Bernareggi disse: "Pela experiência de sacerdote e bispo, aprendi que quando o Senhor chama alguém para o ideal missionário, além de uma grande fé e uma espiritualidade incomuns, proporciona uma saúde física que ajudará a vencer dificuldades e situações que nem podemos imaginar"[11]. Gianna ouviu esses pareceres de autoridade e ficou bastante comovida, comparando-se com a mãe. Na juventude, de fato, também a senhora Maria havia desejado partir para as missões; depois, porém, tornou-se uma mãe extraordinária. Não obstante a desilusão do momento, Gianna começou a interessar-se por constituir uma família.

Noivado e casamento

Estamos quase no final do ano de 1952. Após abandonar o ideal missionário, Gianna atravessou um período de incertezas a respeito das quais foram unânimes ao falarem respectivamente amigos e parentes. Pelos fins de 1954, a crise havia passado. No ambulatório médico e na paróquia, a jovem conheceu o engenheiro Pietro Molla, que, na função de vice-presidente, dirigia a Saffa, indústria de fósforos e laminados, com perspectivas de grande expansão. Em 8 de dezembro de 1954, a amizade começou a aprofundar-se. Pietro, com 42 anos, e Gianna, dez anos mais nova, encontraram-se na primeira missa do Padre Lino Garavaglia, futuro bispo de Cesena. Os rápidos olhares dos encontros anteriores aumentaram em intensidade e em carinho. De repente, foi como se tivesse caído um véu e ambos descobriram a beleza um do outro, a comunhão de ideais (o amor pela família, pelos filhos, pelo próximo) por muito tempo cultivados e ocultos aos olhos indiscretos. Gianna era uma mulher bonita por quem, muito rapidamente, Pietro se apaixonou. Era uma atração que arrancou o

---

[11] O texto é citado pelo irmão Padre Giuseppe Beretta em *Terra Ambrosiana* 1 (1994), p. 36.

engenheiro da solidão e dos excessos de um trabalho que parecia consumir todo o seu tempo. Por seu lado, Pietro transmitia segurança à jovem que ficara órfã de pai e mãe, à procura de seu próprio caminho. Após o primeiro encontro, outros aconteceram e rapidamente começaram a falar de noivado e matrimônio. Escrevia Pietro, recordando aos amigos: "Desde fevereiro (1955) tivemos ocasiões cada vez mais frequentes para encontrar-nos; confidenciávamo-nos desejos e aspirações, esperanças e certezas, compreendíamo-nos cada vez melhor"[12]. Já no fim de fevereiro, Pietro fez a proposta de casamento, recebida com alegria. São dessa época algumas das mais belas cartas aqui transcritas. Gianna e Pietro não eram com certeza adolescentes, mas na troca de cartas seu amor manifestava-se sereno e juvenil, terno e entusiasta. Escreve Gianna: "Quero mesmo fazê-lo feliz e ser aquela que você deseja: bondosa, compreensiva e disposta aos sacrifícios que a vida nos há de oferecer"[13]. Pietro responde: "Li muitas vezes a sua carta e a beijei. Uma nova vida começa para mim: a vida de seu grande e desejado amor, de uma nova família e de sua grande bondade. Iniciamos a vida de nosso amor"[14]. Em 11 de abril aconteceu o noivado oficial com a troca de alianças e a promessa de fidelidade; imediatamente depois começaram os preparativos para o casamento. Gianna viveu o tempo do noivado muito alegre e também preocupada, cultivando sentimentos de doação e de disponibilidade ao sacrifício que, sabia muito bem, o amor sempre exige. Nas cartas, frequentemente se refere ao capítulo 31,10-12 do Livro de Provérbios: "Uma mulher competente, quem a encontrará? Seu valor é superior ao das pérolas. Nela confia o coração de seu marido, e não terá falta de recursos. Ela lhe proporciona prazer, e jamais desgosto, todos os dias de sua vida". O autor bíblico elogia uma mulher carinhosa e fiel, firme e real: um modelo no qual Gianna se inspirava constantemente. Ela preparava-se,

---

[12] Mencionada em "Posizione sulle virtù", *op. cit.*, p. 452.

[13] Carta de 21 de fevereiro de 1955.

[14] Carta de 22 de fevereiro de 1955, gentilmente cedida pelo engenheiro Molla.

portanto, espiritualmente, mas também vivia com alegria os momentos mais concretos: escolhia os móveis para a casa, comprava toalhas e lençóis, procurava a costureira para o vestido de noiva. O casamento foi marcado para o dia 24 de setembro e, alguns dias antes, Gianna escreve a Pietro: "Faltam apenas vinte dias e depois serei... Gianna Molla! Você não acha interessante fazermos um tríduo para nos prepararmos espiritualmente antes do casamento? Nos dias 21, 22 e 23, santa missa e comunhão, você em Ponte Nuovo, eu no Santuário de Nossa Senhora da Assunção. A Senhora acolherá as nossas preces e desejos e, porque a união faz a força, Jesus não pode deixar de escutar-nos e ajudar-nos"[15].

No dia 24 de setembro, os dois noivos confirmaram o seu amor diante de Cristo e da comunidade cristã. A entrada da noiva, de braço dado com o irmão Ferdinando, na basílica de São Martinho, em Magenta, suscitou uma salva de palmas espontânea. Era a gratidão dos presentes pela generosidade de Gianna, os reconhecimentos pelo trabalho com os jovens e a saudação de bem-vindos entre os casados da comunidade. Padre Giuseppe, seu irmão, foi quem celebrou o casamento e, de imediato, o casal viajou em lua de mel. Ao voltar, o casal passou a morar em Ponte Nuovo, num palacete que a Saffa colocou à disposição de seu diretor. Gianna retomou as suas atividades de médica, mas não abandonou a Ação católica. Assim, depois de ter sido dirigente dos jovens, agora é indicada para dirigente das senhoras, cargo que conservou até a morte. Há, porém, um período a destacar. Após o casamento, Gianna nunca se esqueceu de sua família de origem: escrevia regularmente aos irmãos distantes, visitava e convidava os mais próximos. O irmão Ferdinando, médico com o qual por algum tempo havia compartilhado o estudo, tinha uma menina chamada Iucci. Era a preferida de tia Gianna, que, durante as frequentes viagens de Pietro, levava-a para casa, mesmo à noite. Por outro lado, a maternidade, para a qual a doutora Beretta parecia ter uma disposição particular, não demorou a anunciar-se. Na primavera de 1956, Gianna

---

[15] Carta de 4 de setembro de 1955.

engravidou e ficou feliz, e Pietro também. Sobre essa primeira gravidez não temos notícias detalhadas, senão que se prolongou por vários dias além do que se previa. O primogênito Pierluigi nasceu aos 19 dias de novembro de 1956, e grande foi a alegria de Gianna. Mais uma vez confirmam-se as palavras de Jesus: "A mulher, quando está para dar à luz, sente tristeza porque chegou a sua hora. Mas depois de dar à luz um filho, já não se lembra da aflição, pela alegria, que sente, de ter vindo ao mundo um homem" *(Jo 16,21)*. O menino foi batizado pelo tio Padre Giuseppe e, imediatamente depois, dando início a uma prática que seria seguida fielmente nos anos seguintes, foi consagrado à Senhora do Bom Conselho. Exteriormente, a vida do casal não mudou: Gianna dedicava-se cada vez mais à medicina; Pietro dirigia a sua fábrica rumo a novos produtos e outras metas, mas a presença do menino deu novo impulso ao amor conjugal, criando novos laços de amor. Não faltavam, é evidente, as preocupações: Pierluigi, chamado carinhosamente Gigetto, corria o risco de crescer com uma deslocação no quadril, Gianna sofria muito de azia, e Pietro andava sobrecarregado de trabalho. No final da primavera de 1957, Gianna ficou novamente grávida. Depois de alguns meses, Gianna mudou-se para Courmayeur, numa casa alugada. Passou aí o verão em companhia de Gigetto e de outros parentes. Pietro, ao contrário, visitava-a quando muito nos finais de semana. Em setembro as coisas tomaram novo rumo: Pietro ficou na montanha com Gigetto e Gianna desceu para Magenta, a fim de retomar a função de médica. Em dezembro, dez dias após completada a gravidez, nasceu o segundo filho: uma menina que se chamou Maria Zita, carinhosamente apelidada de Mariolina[16].

O início de 1958 foi bastante difícil para o casal: em fevereiro, Pietro teve de mudar-se para San Remo, a fim de descansar

---

[16] Mariolina morreu no início de 1964, mais ou menos dois anos depois da morte da mãe. No internato "Sorriso d'Italia" em Imperia, dirigido pela Irmã Luigia, irmã de Pietro, contraiu uma doença exantemática, tornando-se necessária a internação no hospital de Milão. Infelizmente, tampouco os médicos de Milão puderam evitar o pior e Mariolina expirou devotamente, enquanto rezava a Ave-Maria.

alguns dias. Gianna teve de cuidar das duas crianças pequenas, sendo que uma delas, Gigetto, sofria de acetonemia; Mariolina dormia pouquíssimo de noite. São dificuldades que muitas famílias enfrentam, mas Gianna soube vivê-las no amor de Cristo, estando precisamente aí o sentido de sua santidade. O cardeal Martini escreveu: "A santidade de Gianna é parecida com a de cada um de nós: ela enfrentou as mesmas dificuldades que enfrentamos do dia a dia, da vida profissional, da atenção à família, de acolhimento às visitas; teve paciência nas vicissitudes de cada dia"[17].

No verão de 1958, Gianna foi também para Courmayeur, de férias, em companhia de seus dois filhos, que na montanha recuperavam cor e saúde. Gianna descrevia-os com alegria e orgulho ao irmão Padre Alberto: "Pierluigi e Mariolina vão bem. Há quinze dias voltamos de Courmayeur; as crianças estão bonitas, coradas, com muito apetite"[18]. Quando Mariolina estava com seis meses, Gianna ficou grávida pela terceira vez. Ela comunicou-a com alegria ao Padre Alberto, esperado na Itália durante o verão. Escrevia, então, Gianna: "Ficaria muito contente se você aceitasse ser padrinho de batismo do meu terceiro filho, que, se tudo correr bem, deverá nascer nos primeiros dias de julho. Você aceita, tio?"[19]
Na longa primavera de 1959, Pietro, sempre por motivo de trabalho, teve de viajar para os Estados Unidos da América, onde ficou de 26 de abril a 17 de junho. Gianna sofreu muito por essa ausência coincidente com sérios problemas físicos relativos à gravidez. Aos 15 de junho teve de ser internada no hospital de Monza, por causa das fortíssimas dores e contrações espasmódicas que a faziam temer pela perda do nenê. Só mesmo a intervenção rápida dos médicos evitou o pior e, já no dia 17, pôde ir ao aeroporto para esperar Pietro, que sem saber de nada retornava de sua viagem. Nessa ocasião, Gianna contou com a ajuda da irmã Zita, à qual

---

[17] Carlo Maria Martini em JOÃO PAULO II – C. M. MARTINI, *Gianna Beretta Molla. Una santa della quotidianità*, Centro Ambrosiano, Milano 1994, p. 98.

[18] Carta ao irmão Padre Alberto, em 24 de setembro de 1958, terceiro aniversário do seu casamento.

[19] Carta ao Padre Alberto, em 2 de dezembro de 1958.

sempre foi grata. Aos 15 de julho de 1959, nasceu o terceiro filho, Laura Enrica Maria. A notícia de Gianna à amiga Mariuccia Parmigiani foi esta: "Quarta-feira, de manhã, 15 de julho, às 8h15min, nasceu Lauretta. Você nem pode imaginar a nossa alegria: principalmente porque, graças a Deus, foi tudo bem; depois, porque Lauretta é bonita, boa, sadia e ainda porque é uma menina; e eu desejava exatamente uma irmãzinha para Mariolina. Sei, por experiência, quanto são preciosas as irmãs e, assim, o Senhor escutou minhas preces"[20].

Foi talvez esse o período mais bonito da sua vida matrimonial. Gianna vivia feliz: amava o marido e os filhos, estava contente por estar em companhia deles. No ano seguinte ao nascimento da filha Laura, escrevia ao marido de Courmayeur: "Por ora tudo é silêncio. Querido Pietro, como é bom poder estar com eles dia e noite, segui-los e alegrar-me com eles... Além disso, nem lhes parece verdade ter a sua mãe por perto e toda só para eles... São três tesouros, pena que falta o meu quarto grande tesouro, o meu muito amado e afetuosíssimo Pedrin..."[21]. Alguns meses depois, o desejo de passar algum tempo com Pietro realizou-se. Confiadas as crianças à irmã Zita, Gianna acompanhou o marido numa viagem de trabalho à Inglaterra e à Holanda. Partiram no dia 10 de dezembro e chegaram a Londres domingo, 11 de dezembro. Assim escrevia Gianna ao Padre Alberto: "De Londres, saía diariamente de trem ou de carro para as várias cidades, tendo estado, assim, no norte, ao longo do mar do Norte, em Norwich, em Great Yarmouth e pude fazer uma ideia dessas cidades, de seus costumes e de sua vida. De Londres, por avião, chega-se em uma hora e dez minutos a Amsterdam, cidade toda cortada de canais característicos... Amanhã à noite (domingo, dia 18), ou no mais tardar segunda-feira, voltaremos para junto de vocês (as crianças) e com vocês nos prepararemos para o santo Natal"[22]. Alguns meses de-

---

[20] Carta à amiga Mariuccia Parmigiani, em 18 de julho de 1959.

[21] Carta ao marido, em 27 de junho de 1960.

[22] Carta ao Padre Alberto, em 17 de dezembro de 1960.

pois da viagem passada, Gianna estava em Courmayeur com as crianças. Escrevia a Pietro a carta que seria a última que possuímos: "Meu caríssimo Pietro, os nossos três queridos anjinhos dormem depois de terem caminhado, brincado, esquiado. Esta noite estavam cansados... Meu querido Pietro, quanto penso em você! Como gostaria que estivesse aqui conosco. Obrigada por tudo, Pedrin de ouro, por seu grandíssimo amor, por seus cuidados, por sua bondade. Os seus tesouros mandam-lhe beijos com muito carinho e com eles a sua muito amada Gianna"[23].

Estimulada pelo amor e pela alegria, Gianna queria mais um filho. Após a terceira gravidez, segundo testemunho do irmão Dr. Ferdinando, que a tinha sob seus cuidados, ela teve dois abortos espontâneos, cuja causa não se chegou a determinar[24]. Depois de uma viagem à Dinamarca e à Suécia, em julho de 1961, surgiram os sinais da última gravidez. No segundo mês, no entanto, na parede lateral direita do útero apareceu um fibroma pelo qual se tornou necessária uma primeira internação no hospital de Monza, em setembro de 1961. Para o avanço da medicina da época, era suficiente um aborto para eliminar todo risco, mas Gianna se opôs. Ela sabia de tudo o que estava acontecendo e os riscos aos quais se expunha, mas a sua vocação de mãe e de médica era promover a vida, não sacrificá-la. O médico-chefe da clínica de Monza, Dr. Vitali, limitou-se, por isso, a extrair o fibroma e Gianna pôde voltar para casa após dois ou três dias. Às crianças de férias em Courmayeur, com a amiga Mariuccia Parmigiani, enviou um bilhete no qual o amor materno não conseguiu esconder a emoção daqueles dias: "Meus tesouros queridíssimos, papai lhes dará muitos e muitos beijos grandes; desejaria muito poder ir também, mas devo ficar de cama, porque ainda não estou muito disposta. Fiquem bonzinhos e obedeçam a Mariuccia e a Savina... Vocês estão em meu coração e penso em vocês incessantemente. Rezem uma Ave-Maria por mim; assim a Senhora fará que eu fique logo

---

[23] Carta ao marido, em 4 de fevereiro de 1961.
[24] Em "Posizione sulle virtù", *op. cit.*, p. 47.

curada, e poderei voltar a Courmayeur, abraçá-los e ficar sempre ao lado de vocês"[25].

Depois da internação de setembro, a vida retoma seu ritmo. Gianna sabia do perigo que o fibroma voltasse com grave risco para a criança que trazia no seio e para si mesma, mas se esforçava para viver tranquila. A opinião do marido e dos parentes era unânime, ou seja, pelo máximo cuidado. Retomou o trabalho, ainda que pensasse em abandoná-lo depois do nascimento do quarto filho; acompanhava com carinho o crescimento e a educação dos filhos. Pedia, ao contrário, cada vez mais amiúde continuar vivendo para poder levar à frente a sua entrega de amor aos filhos e ao marido. Num ponto, no entanto, foi muito clara com Pietro e com os parentes: no caso de escolha entre sua vida e a do filho, a preferência deveria absolutamente ser dada à criança. Não atendendo às razões dos tradicionalistas, Gianna repetia decidida: "Esta será uma gravidez difícil e deveremos salvar a criança ou a mãe, e eu quero que salve o meu filho"[26]. A fé na Providência, no entanto, dava-lhe força para sempre ter esperança. Uma única vez, segundo a irmã Zita, foi superada pela dor. "Encontrando-se só, telefonou-me chorando muito. Fiz mais que depressa com que o irmão Francesco, que não era homem capaz de suportar emoções, socorresse-a, e a Serva de Deus teve coragem para transformar tudo em alegria."[27] Chegava, no entanto, o dia do parto e, com o nascimento da criança, deveria desaparecer toda ansiedade. Gianna deu entrada no hospital de Monza no dia 20 de abril de 1962, sexta-feira da Semana Santa. É difícil não ver aí a semelhança com o sofrimento de Jesus na cruz. No dia seguinte de manhã, sábado santo, foi submetida à cesariana; e logo depois nasceu o quarto filho, Giovanna Emanuela. Algumas horas depois da operação, porém, passado o efeito dos analgésicos, pressentia as dores lancinantes que certamente aumentariam nos dias seguintes.

---

[25] Bilhete incluso na carta à amiga Mariuccia Parmigiani, em 13 de setembro de 1961.
[26] "Posizione sulle virtù", *op. cit.*, p. 79.
[27] *Ibid.*

Foi uma agonia demorada, interrompida pela despedida triste da menina recém-nascida[28], dos parentes, de Pietro[29]. Num átimo de lucidez, quarta-feira de manhã, pediu para voltar para Ponte Nuovo, a fim de morrer junto aos seus queridos, na casa que agasalhara o sacramento do seu amor. Morreu sábado de manhã, 28 de abril de 1962, após ter provavelmente ouvido pela última vez a voz de suas crianças ao despertarem.

Ao lado da beata, nos dias de seu sofrimento, estivera, entre outros, um sacerdote extraordinário, um testemunho da caridade, que por amor aos pobres tinha-se transformado em mendigo e andarilho em Bolonha. Com seu pequeno caminhão, muitas vezes ia ter à capital do distrito de origem etrusca, a Ponte Nuovo, para recolher roupas e todo gênero de materiais usados pela Saffa. Tudo servia para construir a cidade dos moços[30]. Conhecia muito Gianna, o seu amor pelas crianças, a alegria de viver e o grande sacrifício da morte. Já por ocasião dos funerais, o Padre Marella falou de santidade e, no ano seguinte, no primeiro aniversário da morte, fez que se publicasse um opúsculo[31], no qual dava testemunho

---

[28] O marido escreveu a última mensagem à mulher em estilo direto: "Quando você pegou nos braços a nossa criaturinha, olhou-a afetuosamente, com um olhar que denunciava o seu sofrimento indizível por não a poder seguir, educar e não mais vê-la". Em: PIETRO MOLLA – ELIO GUERRIERO, *Gianna. La beata Gianna Beretta Molla nel ricordo del marito*, San Paolo, Cinisello Balsamo, 1995, p. 102.

[29] Ainda da memória-diálogo do marido podemos tirar o seguinte texto: "Lembro-me de quando me disse, quarta-feira de manhã, com a expressão tão delicada que me parecia quase ultraterrena: 'Pietro, agora estou restabelecida. Pietro, já estava do outro lado e se soubesse o que vi... Um dia lho direi. Mas como éramos muito felizes, estávamos muito bem com as nossas crianças maravilhosas, cheias de saúde e de graça, com todas as bênçãos do céu, mandaram-me a este mundo para sofrer também, porque não é justo apresentar-me ao Senhor, sem nenhum sofrimento'. Isso foi e é para mim seu testamento de alegria e de sofrimento". Em: PIETRO MOLLA – ELIO GUERRIERO, *op. cit.*, p. 102.

[30] Sobre o Padre Olinto Marella, pelo qual é agora oficialmente aberta a causa de beatificação, cf. L. BEDESCHI, *Padre Marella. Un prete accattone a Bologna*, San Paolo, Cinisello Balsamo, 1998.

[31] Escrevia o Padre Marella: "Em todos os lugares onde puder ser repetido o seu nome, estará vivo o seu exemplo, como o de uma santa. Se o respeito às prescrições canônicas não consente que esse apelativo se use na sagrada liturgia, senão quando, na Igreja, tiver sido resolvido pela mais alta autoridade, pode-se pregar e convidar a pregar com esta vítima do amor materno" (*Gianna Beretta Molla*, opúsculo publicado pela escola gráfica da Cidade dos jovens de Padre Marella, Bologna, 1963).

público de uma mãe capaz de dar a sua vida com generosidade ilimitada e falava da veneração por parte dos fiéis, augurando o reconhecimento da sua santidade por parte da hierarquia. O convite do sacerdote foi muito bem aceito oportunamente pelas autoridades da Igreja. Na época da morte de Gianna, era bispo de Milão o Cardeal Montini, que dentro em pouco deveria tornar-se papa com o nome de Paulo VI. Discretamente se interessou pela vida de Gianna, enquanto o bispo Carlo Colombo, muito próximo a ele, esteve entre os promotores da causa de beatificação. O movimento iniciou-se em Milão, em 1972, com o arrolamento das testemunhas e a redação da biografia crítica por Antonio Rimoldi. Com base nesse material, em 1980, o Papa João Paulo II homologou o *nihil obstat* para a introdução da causa. Autorizado pelo Arcebispo Martini, o processo diocesano concluiu-se em 1986. Vieram depois, em 1991, o decreto sobre a heroicidade da virtude; em 1992, o reconhecimento do milagre; e em 24 de abril de 1994, a solene proclamação de beatificação por João Paulo II. Naquela ocasião, declarou o Cardeal Martini: "O exemplo de Gianna Beretta Molla, à qual se junta o de outras mães de ontem e de hoje, é um sinal de esperança e um estímulo para as famílias cristãs e para todos nós"[32]. A beatificação de Gianna, portanto, não é um acontecimento para curiosos e um ato insólito, mas um reconhecimento por todas as mães e todos os cristãos, em cujas famílias ocorreu e ainda ocorre a vida de santidade.

2. As cartas

Na primeira parte da biografia anteriormente referida, Antonio Rimoldi relaciona cuidadosamente os escritos, os documentos e os testemunhos referentes a Gianna. O segundo capítulo, em especial, enumera as cartas, os bilhetes, os cartões-postais escri-

---

[32] GIOVANNI PAOLO II – CARLO MARIA MARTINI, *Gianna Beretta Molla. Una santa della quotidianità*, Centro Ambrosiano, Milano, 1994, p. 82.

tos por Gianna Beretta Molla para o marido, para os familiares, para os amigos e outras pessoas de seu relacionamento. Na época, Rimoldi contava com 157 esparsas num período que vai de 15 de julho de 1936 (post-scriptum de Gianna num cartão-postal da mãe endereçada ao irmão em serviço militar) a março de 1962 (bilhete endereçado à Irmã Emma Ciserani, canossiana, professora da escola infantil de Magenta), mais ou menos um mês antes de sua morte.

As setenta e três cartas ao marido, ao contrário, aqui relacionadas, vão de fevereiro de 1955 a fevereiro de 1961. Seis anos, durante os quais na sociedade como na Igreja italiana aconteceram grandes mudanças, cujo eco fiel percebe-se nas cartas.

A mudança mais importante acontecida na Itália entre 1950 e 1960 foi de caráter essencialmente econômico. Esquecido o trauma da guerra, o país passou por um desenvolvimento econômico bastante rápido e surpreendente. Era a época da industrialização, da difusão dos eletrodomésticos, para a qual Pietro contribuiu com sua atividade, dos primeiros festivais de San Remo e começo da transmissão da RAI (Radiodifusão italiana). Era também o período da Guerra Fria e do partido comunista que a União Soviética ainda conservava como modelo de organização política e social. Do ponto de vista político, a Itália era solidamente governada pela Democracia cristã, partido dos católicos, cujos expoentes bons e relevantes provinham das fileiras da Ação católica e da FUCI (Federação universitária católica italiana), com a qual a mesma Gianna colaborava ativamente. Em meados dos anos 50, no entanto, já se percebiam mudanças de orientação e os sinais dos primeiros contrastes. Se De Gasperi, auxiliado por Montini, havia procurado "introduzir na Itália a tradição das experiências do pluriconfessionalismo e de tolerância já consolidadas em outras regiões da Europa"[33], os expoentes da direita interna, apoiados por parte da hierarquia, lutavam pela fundação de um segundo partido católi-

---

[33] A. GIOVAGNOLI, "I laici nella Chiesa del XX secolo", em E. GUERRIERO (coord.), *La Chiesa in Italia dall'unità ai nostri giorni*, San Paolo, Cinisello Balsamo, 1996, p. 646.

co, enquanto a corrente dossetiana tinha novos horizontes, "cujos contornos, no entanto, não apareciam com a necessária clareza"[34].

Nos anos seguintes, portanto, o crescente sucesso do partido comunista e da esquerda em geral atribuía aos responsáveis pela Democracia cristã o problema da "abertura para a esquerda", da colaboração do governo com o partido socialista. Era uma questão política que implicava interesses religiosos e que ao longo do tempo dividiu os católicos e a própria hierarquia. Basta lembrar o clamor suscitado pela saudação dirigida no início de 1957 pelo futuro João XXIII ao congresso nacional do partido socialista reunido em Veneza[35].

No âmbito religioso, a passagem dos anos 50 para os anos 60 não foi menos rica em eventos imprevistos. Quando Gianna começou a escrever as suas cartas, em 1955, a Igreja ainda estava sob o pontificado de Pio XII, que havia colocado o catolicismo sob uma linha de marcada presença na sociedade. Nos anos pós-guerra, as organizações católicas, entre as quais a FUCI e os intelectuais católicos, tiveram grande crescimento. Por volta de meados da década, ao contrário, vieram a público as primeiras dificuldades internas e os primeiros grandes mal-entendidos com a hierarquia. Também por causa disso, em 1954, o vice-secretário para os negócios ordinários da secretaria de estado, Giovanni Battista Montini, há tempo conhecedor da experiência associativa da FUCI e dos intelectuais católicos, é transferido de Roma. Nomeado arcebispo de Milão, Montini tornou-se o bispo de Gianna Beretta, à qual se ligava no interesse comum da Ação católica. Aos 28 de outubro de 1958, sucedeu a Pio XII o ancião patriarca de Veneza, Angelo Giuseppe Roncalli. Sem desprezar o pensamento e a prática do predecessor, João XXIII introduziu no governo da Igreja novas diretrizes. Proibiu o ativismo verticístico representado pelo jesuíta Riccardo Lombardi e, confiando na ação pastoral dos bis-

---

[34] G. PENCO, *Storia della Chiesa in Italia*, vol. II, *Dal concilio di Trento ai nostri giorni*, Jaca Book, Milano, 1978, p. 556.

[35] G. ALBERIGO, "Angelo Giuseppe Roncalli, patriarca di Venezia", em E. GUERRIERO (coord.), *La Chiesa in Italia dall'unità ai nostri giorni*, San Paolo, Cinisello Balsamo, 1996, p. 434.

pos, convocou o Concílio Vaticano II. No centro da ação do Papa estava a sua espiritualidade cristocêntrica. Mediante sua ação, "levava a Igreja a aceitar uma pobreza de meios e a praticar sua disponibilidade habitual a confrontar-se com os homens e sua vida, aparecendo a todos despida de tudo o que não é Cristo"[36].
Era o programa do *aggiornamento* no qual se empenhava a Igreja por toda a década de 1960 e depois.

O conteúdo e a espiritualidade

As cartas de Gianna ao marido, aqui publicadas pela primeira vez no seu todo, são setenta e três. Foram excluídos alguns telegramas e cartões-postais que, por sua brevidade, não vão além de uma simples e significativa expressão de carinho. Para facilitar a leitura, as cartas foram distribuídas, conforme critério cronológico, em quatro capítulos: cartas da época do noivado, cartas dos primeiros anos de casamento, cartas da viagem aos Estados Unidos da América, últimas cartas. O texto publicado reproduz fielmente as cartas manuscritas: pequenas mudanças foram feitas na pontuação.

As cartas de noivado

São onze as cartas nas quais Gianna, apresentada em inúmeros testemunhos como uma jovem de poucas palavras e reflexiva[37], manifestou o seu entusiasmo e a sua alegria, a felicidade por ter encontrado o seu caminho, por ter encontrado sua vocação de que tantas vezes havia falado aos seus jovens. Dizia numa conferência em 21 de outubro de 1946: "Ser chamado para a vida de família não quer dizer ficar noivo aos 14 anos. Isso é apenas um sinal de alarme. Deve preparar-se também para a família. Não se deve entrar por esse caminho se não se souber amar. Amar quer

---

[36] G. ALBERIGO, "Il pontificato di Giovanni XXIII", em *La Chiesa del Vaticano II*, direção de M. GUASCO – E. GUERRIERO – F. TRANIELLO, vol. XXV/1 da *Storia della Chiesa* dirigida por A. FLICHE – V. MARTIN, San Paolo, Cinisello Balsamo 1994, p. 36.

[37] THIERRY LELIÈVRE, *Madre. Gianna Beretta Molla*, Piemme, Casale, 1994, p. 46.

dizer aperfeiçoar-se a si mesmo, a pessoa amada, dominar o próprio egoísmo, doar-se"[38]. O programa proposto aos jovens não era apenas fruto de uma reflexão. Gianna viveu-o na sua adolescência. A preparação começava na família, na qual os pais lhe tinham transmitido a alegria da vida, o amor à pobreza e à vida simples, à aceitação da vontade de Deus.

Ao engajar-se na Ação católica, não só assimilou o espírito de colaboração com a hierarquia, mas também se convenceu da possibilidade do laicato oferecer uma contribuição específica, uma presença e um testemunho no mundo que às vezes é impossível ao sacerdote[39].

A convivência, pois, com Madre Marianna Meregalli e as Irmãs canossianas de Magenta, aumentou nela o interesse pela educação das crianças. A definição do rumo a seguir foi colocado em discussão no início dos anos 50 pelo, já lembrado, grande desejo de juntar-se ao irmão, no Brasil. Auxiliada pelos conselhos do diretor espiritual, pela prece e por uma peregrinação a Lourdes, retomou decidida o caminho da sua vocação[40].

Em meados dos anos 50, o caminho de Gianna estava completo. Após longa caminhada, a jovem era uma fonte desejosa de dar as próprias águas, como corrente disposta a inundar o campo em tempo oportuno. Pietro liberou a margem e Gianna transformou-se em "fonte que irriga os jardins..." (Ct 4,15). Pietro escreveu: "Foi um período maravilhoso; Gianna e eu andávamos cheios de alegria. Há algumas fotos nas quais a plenitude de alegria de Gianna é, por assim dizer, retratada. Sirva de exemplo a foto tirada no verão de 1955 sobre a geleira do Livrio em Bormio. Era uma alegria sincera, transparente, verdadeira"[41]. Está aí a forte contestação a um preconceito que frequentemente se torna caminho mesmo entre os crentes: só um amor provisório, sem comprometimento e sem en-

---

[38] Conferência de 21 de outubro de 1946, citada em A. RIMOLDI, *op. cit.*, p. 238.

[39] Nota sobre a beleza da missão do médico em P. MOLLA – E. GUERRIERO, *op. cit.*, p. 591.

[40] THIERRY LELIÈVRE, *op. cit.*, p. 69.

[41] P. MOLLA – E. GUERRIERO, *op. cit.*, p. 431.

trega pode ser sustentado pela paixão; o compromisso de fidelidade elimina o eros e dá lugar ao tédio e à *rotina*. O amor de Gianna e Pietro, ao contrário, mostra que o casamento cristão não exclui o namoro e a paixão, a atração e o desejo de entrega total, se a fidelidade na doação recíproca for abertura para a transcendência, testemunho da "Boa-Nova de que Deus nos ama com um amor definitivo e irrevogável, que os esposos participam desse amor, que ele os apoia e mantém"[42]. Mas há uma outra certeza aparentemente irrefutável contra a qual se levantam vigorosamente as cartas de Gianna: o matrimônio cristão tem valores tradicionais e conservadores que pouco combinam com a juventude e a alegria de viver. As cartas arroladas a seguir desmascaram esse preconceito. Gianna era uma jovem senhora, plenamente inserida em seu tempo, na vanguarda do pensamento e da ação. Ela amava a natureza e o esporte e procurava transmitir essa paixão a Pietro. Escrevia em 23 de março: "Depois do café da manhã, partimos de imediato com os nossos esquis e montanha abaixo... pelas pistas. Geralmente, às onze, acompanho o treinador de esqui para fazer alguns exercícios e... modéstia à parte, aprendi a fazer também as descidas difíceis... Mas é maravilhoso. Quando se está lá em cima com um céu claro e tranquilo, a neve branquíssima, como se fica alegre e se louva a Deus! Pietro, você já sabe, sinto-me tão feliz quando estou em contato com a bela natureza que passaria horas a contemplá-la"[43].

A força do testemunho de Gianna procede da abertura ao sobrenatural, que se refere à definição mesma de sacramento que é sinal de amor. Sob essa ótica, o noivo não é um aventureiro, mas o companheiro de viagem, aquele em quem se coloca a própria confiança. Escrevia Gianna, tendo em vista o noivado: "Pietro, gostaria de ser para você a mulher forte do Evangelho! No entanto, sinto-me fraca. Quero dizer-lhe que me apoiarei em seu braço forte. Sinto-me tão segura ao seu lado!"[44] "E pelo apoio a tudo,

---

[42] *Catecismo da Igreja Católica*, n. 1648.

[43] Carta de 23 de março de 1955.

[44] Carta de 9 de abril de 1955.

você é a participação espontânea e ativa, não passageira e ocasional, da vida de fé."[45]

Não se trata aqui de piedade tímida e carola, mas de participação consciente da aliança de Deus com o homem, cujo sinal e sacramento é o matrimônio. Ao término do tempo de noivado, a ideia que melhor representa Gianna é a da harmonia: harmonia entre o mundo do corpo e o do espírito, entre o mundo do homem e o de Deus. Entre essas duas realidades, não há oposição, contraste, mas analogia, semelhança fundamentada na criação e redenção, à qual Deus quis associar também o homem.

As cartas dos primeiros anos de casamento

São vinte e quatro cartas escritas quase todas durante as viagens de trabalho do marido, de 14 de dezembro de 1955 a 21 de julho de 1958. Dois anos e meio, durante os quais nasceram os primeiros dois filhos: Pierluigi e Maria Zita.

As características mais importantes dessas cartas são: o aprofundamento do amor por Pietro; a alegria e o amor pelas crianças.

Também neste caso o preconceito segundo o qual a paixão e o amor dos cônjuges chegam ao fim com o casamento é desmentido pelas cartas de Gianna. Duas citações apenas para confirmar o fato. Gianna escrevia em 14 de dezembro: "Pietro, dirá que exagero, mas estou vazia e triste por não vê-lo!... Meu querido Pietro, estou muito feliz porque o amo muito e você me ama também; e sempre farei tudo para que possa encontrar em mim a mulherzinha bondosa, amorosa, compreensiva e sempre sorridente"[46]. E em 20 de julho de 1958: "Querido Pietro, seria muito bom poder estar sempre ao seu lado, juntos. Felizmente dentro de uns dez dias começam as suas férias. Que alegria!" Naturalmente na época em que continuava também o crescimento interior de ambos. A alegria do primeiro encontro dava espaço a uma consciência mais

---

[45] Carta de 4 de setembro.
[46] Carta de 14 de dezembro de 1955.

madura da reciprocidade do amor, à gratidão que era caminho para a partilha e a participação. O amor pelos filhos não diminuía de intensidade em relação aos esposos, mas proporcionava aos cônjuges a felicidade de serem pai e mãe, a preocupação pelo crescimento e pela educação, a alegria intensa de sentirem-se geradores de novas vidas, partícipes da obra criadora de Deus. Escreve Gianna, falando de seu primogênito: "Como é bonito! Todos que o viram ficaram encantados. Graças ao céu, está muito bem e é um menino muito esperto e bastante simpático"[47]. É o santo orgulho de toda mãe que impulsiona a nova generosidade e doação. Escrevia ainda Gianna: "O Senhor abençoou de novo o nosso amor, dando-nos mais um filho: estou feliz, e com o auxílio da Mãe celeste e com você ao meu lado, você que é tão bom, compreensivo e amoroso, não mais me amedrontam os sofrimentos pela nova gravidez"[48]. Os filhos, portanto, não são obstáculos para os pais no caminho de sua realização, mas, conforme atesta o Salmo 128, o sinal de uma prosperidade abençoada por Deus.

As cartas da viagem aos Estados Unidos da América

Em 1959, de 26 de abril a 17 de junho, o engenheiro Molla teve de realizar uma longa viagem de trabalho aos Estados Unidos da América. Foram 52 dias, durante os quais a beata enviou ao marido trinta e uma cartas, mais de uma a cada dois dias, como testemunho de um amor que, com o decorrer dos anos, longe de perder a intensidade, tornava-se mais maduro e firme. Nos quase dois meses de ausência do marido, Gianna, Pierluigi e Mariolina mudam-se para Magenta, para a casa paterna onde continuavam a viver o irmão Francesco e a irmã Zita. Esta última, particularmente, ajudou muito a beata, que estava esperando o terceiro filho. Dois são os temas principais dessas cartas: a maturidade do amor de Gianna; a partilha do sofrimento que deu nova autenticidade ao amor. Dois exemplos são a comprovação da plenitude alcançada

---

[47] Carta de 20 de setembro de 1957.
[48] Carta de abril de 1957.

por Gianna, que aos 37 anos era uma mulher totalmente realizada: "À tarde, Cecco levou-nos para Lugano. Que doces recordações! Voltei às margens do lago, onde você tirou a minha primeira fotografia, no hotel Felix. Desejei tê-lo junto de mim, para abraçá-lo, beijá-lo com todo o amor, e agradecer-lhe o grande carinho que me tem e todas as alegrias que me tem proporcionado nestes três anos"[49]. A doçura tornava-se, portanto, ternura e saudade: "Hoje iniciou o nono mês, e facilmente me canso. Assim, sozinha, com alegria e muita emoção, li e reli as suas amorosíssimas cartas que me mandou com tanto zelo todos os dias dos Estados Unidos da América. Estou na sua doce e querida companhia, hoje mais animada..., mas ontem, não devo negar, estava um pouco deprimida. Desejava-o perto de mim, sentia muita saudade de você e havia mesmo decidido escrever-lhe para que voltasse logo. Depois, ao contrário... esqueci-me. Mas hoje lhe digo: 'volte o mais rápido possível, Pedrin de ouro, assim que puder'"[50]. Mas não era apenas a falta do marido a causar apreensão a Gianna. Eram os sofrimentos de uma gravidez difícil que, pelas cartas, se percebem apenas alguns sinais, que propositadamente não causam preocupações ao marido: "As azias são contínuas; pelo menos assim tenho algum sofrimento para oferecer ao Senhor por você, Pietro querido, para que possa voltar logo são e salvo"[51].

Um mês antes do nascimento do terceiro filho, sobreveio-lhe uma crise[52]. Levada para o hospital de Monza, recebeu tratamento intensivo e melhorou a ponto de, em 17 de junho, poder ir ao aeroporto para esperar o marido que voltava dos Estados Unidos.

As últimas cartas

São sete escritos bastante concisos, redigidos entre o verão de 1960 e fevereiro de 1961. Foram mais ou menos seis meses

---

[49] Carta de 8 de maio de 1959.
[50] Carta de 24 de maio de 1959.
[51] Carta de 1º de junho de 1959.
[52] Carta à amiga Mariuccia Parmigiani, em 18 de julho de 1959.

durante os quais Gianna acompanhava atenta o crescimento dos filhos; estava envolvida na profissão de médica e era orientadora das mulheres da Ação católica. Sempre apaixonada pelo marido, atraía-o com sua doçura. Tornaram-se, consequentemente, mais raras as viagens de trabalho de Pietro e, às vezes, Gianna acompanhava-o pelo prazer de ver novos países e pela felicidade de estar com ele. Em dezembro de 1960, esteve na Inglaterra e na Holanda; em julho de 1961, na Dinamarca e na Suécia.

Nestas últimas cartas, acima de qualquer outro sentimento, prevalece a ternura. Escrevia em julho de 1960: "Acompanho você e penso a todo momento em suas viagens, em seu trabalho, e estou muito perto de você com todo o afeto e todo o amor"[53]. Em fevereiro de 1961, na última carta enviada ao marido, diz: "Meu querido Pietro, quanto penso em você! Como gostaria que estivesse aqui conosco. Obrigada por tudo, Pedrin de ouro, por seu grandíssimo amor, por seus cuidados, por sua bondade. Os seus tesouros mandam-lhe beijos com muito carinho e com eles a sua muito amada Gianna"[54]. É uma carta escrita durante as férias de verão, que por força do amor torna-se quase um testamento marcado de muita saudade e ternura.

Conclusão

"Deus é amor, e quem permanece no amor permanece em Deus e Deus nele" (1Jo 4,16). Para os cristãos, o amor é a própria natureza de Deus, é o fogo incandescente que dá alegria e calor à vida de glória das três Pessoas divinas, é o impulso generoso que dá origem ao cosmos e à criação do homem.

O destino do mundo e de todo homem é, portanto, testemunhar o amor ilimitado e gratuito, sempre pródigo e sem reservas de Deus. Hans Urs von Balthasar escreveu: "A vocação ao amor é

---

[53] Carta de 4 de julho de 1960.
[54] Carta de 4 de fevereiro de 1961.

absoluta, não aceita restrição alguma, é de tal força que o seu não cumprimento equivale a um absoluto caminhar pela senda da infelicidade".

Todo homem, portanto, é chamado a amar. As diversas vocações ≡ a opção do religioso, o pacto dos esposos, a vida do sacerdote ou simplesmente a do solteiro ≡ são formas complementares, tesselas destinadas a compor o grande mosaico da face benevolente de Deus. Ora, na história cristã, muito se escreveu sobre a vida religiosa e sacerdotal, muito pouco, porém, sobre a vida matrimonial, sobretudo por parte dos protagonistas, dos cônjuges empenhados na aliança matrimonial, imagem concreta e visível da aliança de Deus com os homens, de Cristo com a sua Igreja.

João Paulo II escreveu em uma das suas inspirações ao mesmo tempo teológicas e antropológicas: "Não se pode compreender a Igreja como Corpo Místico de Cristo, como sinal da Aliança do homem com Deus em Cristo, como sangue universal de salvação, sem fazer referência ao 'grande mistério', associado à criação do ser humano como homem e mulher e à vocação de ambos ao amor conjugal, à paternidade e à maternidade"[55]. Por isso, o matrimônio é sacramento, sinal de grande transparência e nobreza: uma certeza que a beata Gianna soube transformar em ato. Dizia ela em 1946 com entusiasmo juvenil: "São muitas as dificuldades, mas com o auxílio de Deus devemos caminhar sem medo algum; se na realização de nossa vocação devêssemos morrer, seria esse o dia mais bonito de nossa vida"[56].

No estilo que lhe é próprio, nos anos de casamento, Gianna testemunhou com a vida mais do que com os escritos ou os discursos a concepção cristã do matrimônio. As *Cartas ao marido* permitem aproximar-se de uma herança preciosa: a felicidade e a alegria do noivado; o carinho e o amor dos primeiros anos de matrimônio; a plenitude dos anos de maturidade, capaz de abrir--se para o sofrimento; a ternura e a saudade dos últimos anos. São

---

[55] João Paulo II, *Carta às famílias*, 2 de fevereiro de 1994.
[56] Conferência de 21 de outubro de 1946, citada em A. Rimoldi, *op. cit.*, p. 255.

pequenas virtudes quase despercebidas que não aparecem nos catecismos e que pouco se pregam e propagam.

O longo silêncio sobre o matrimônio cristão explica-se também com esse pudor que é véu colocado como proteção da delicadeza do amor. As *Cartas ao marido* da beata Gianna são, portanto, uma luz concedida em tempos difíceis para reafirmar que o matrimônio é dom de graça, é caminho de uma mulher e de um homem que, com seu amor, dão expressão e visibilidade ao amor belo e extraordinário de Deus. As suas publicações propõem o exemplo de Gianna, permitem uma interpretação mais completa e profunda da sua vida, dão à sua santidade tons de alegria e ternura que se voltam para a concepção do matrimônio cristão. Por isso, o fiel agradece antes de tudo ao Senhor, que deu aos esposos um modelo tão extraordinário. A gratidão estende-se, pois, à beata e a seu marido, que aceita colocar à disposição dos leitores um tesouro tão íntimo e delicado como as cartas da mulher em um gesto superior, de generosa doação.

Alguns dias depois da beatificação, o Cardeal Martini definia a santidade de Gianna como "simples e acessível a todos"[57]; não no sentido de que tenham pouco valor, mas como "mensagem grandiosa" dirigida a todos os fiéis, em particular às mulheres. Gianna não foi declarada beata para orgulho pessoal, mas para e como precursora de muitas mães e mulheres capazes de viver a vida cotidiana no amor e na alegria, na generosidade e no altruísmo[58]. As *Cartas ao marido* confirmam plenamente essa interpretação. Elas não falam a língua dos sábios, mas delineiam um belo e delicado caminho aberto a todos.

---

[57] GIOVANNI PAOLO II – C. M. MARTINI, *op. cit.*, p. 98.
[58] *Ibid.*, p. 14.

I

"QUERO MESMO FAZÊ-LO FELIZ"

(fevereiro a setembro de 1955)

1

21 de fevereiro de 1955
segunda-feira

Queridíssimo Pietro,
perdoe-me por começar esta carta chamando-o pelo nome e por tratá-lo de você. Após o encontro de ontem[1], no qual nos abrimos espontaneamente um ao outro, acho que podemos ter essa liberdade que nos permitirá entender-nos e amar-nos sempre e cada vez melhor.

Quero mesmo fazê-lo feliz e ser aquela que você deseja: bondosa, compreensiva e disposta aos sacrifícios que a vida nos há de oferecer. Não lhe disse ainda que sempre fui alguém desejosa de amor e muito sensível[2]. Enquanto tinha meus pais, bastava-me o seu amor; depois, embora muito ligada ao Senhor e a ele dedicada, senti a necessidade de uma mãe e encontrei-a na querida irmã[3], sobre quem comentei com você ontem.

Ora, você é aquele a quem amo muito e a quem pretendo doar-me para formarmos uma família verdadeiramente cristã.

Tchau, querido Pietro, perdoe-me a liberdade, mas sou assim mesmo.

Com carinho,

Gianna

---

[1] Gianna e Pietro conheceram-se no fim de 1954, mais precisamente na festa da Imaculada Conceição, por ocasião da ordenação sacerdotal do Padre Lino Garavaglia, atualmente bispo de Cesena e Sarsina. No último dia do ano, estiveram juntos num espetáculo de balé no teatro Scala de Milão e, no começo de 1955, tinham iniciado seus encontros. No encontro ao qual se faz referência, eles tinham falado de noivado e da possibilidade de constituírem juntos uma família cristã.

[2] A beata refere-se ao período de dificuldades sucessivas pela morte dos pais, acontecida respectivamente em 1º de maio de 1942 (a mãe) e em 1º de setembro de 1942 (o pai). Nesses anos ela estava, com efeito, à procura de um amor e de um caminho na vida. Por outro lado, foi muito generosa e doadora de amor.

[3] A beata refere-se à Irmã Marianna Meregalli, que conhecera em Magenta durante os anos de 1945 a 1949. Como comprovam as cartas, a Irmã Marianna foi para ela uma companheira especial naqueles anos de busca pessoal e de apostolado entre os jovens da A.C.

2

11 de março de 1955

Querido Pietro,
não tenho palavras para agradecer-lhe todos os cuidados e delicadezas que você tem para comigo. Obrigada pelas rosas e pelos momentos passados ontem à noite em sua companhia. Saiba que sempre me preocupa tirar um pouco do seu precioso tempo de descanso após um dia cheio de trabalho e preocupações, como é o seu[4]; porém, por outro lado, estou feliz também por poder dar-lhe um pouco de alegria e desejaria que o tempo parasse enquanto estou em sua companhia.

Pietro, como gostaria de dizer-lhe tudo quanto sinto por você! Mas não consigo; ajude-me. O Senhor me ama muito mesmo. Você é o homem que eu queria encontrar, mas não nego que muitas vezes me pergunto: "Serei digna dele?" Sim, digo-lhe, Pietro, porque me sinto como se não fosse ninguém, incapaz para nada, embora deseje fazer que você seja feliz, receio não consegui-lo. E então suplico ao Senhor: "Senhor, tu que vês os meus sentimentos e a minha boa vontade, corrige-me e ajuda-me a tornar-me uma esposa e uma mãe como tu desejas e acho que Pietro também o deseja"[5]. Está bom assim, Pietro?

Com muito e muito amor, saudações, sua

Gianna

---

[4] Em 1955, o engenheiro Pietro Molla era supervisor geral da Saffa, importante empresa industrial da periferia de Milão. O engenheiro estava particularmente empenhado na estratégia de diferenciação da produção. Não lhe faltavam, portanto, trabalho e preocupações.

[5] Deve-se destacar a atenção, a disponibilidade da beata à vontade de Deus. Trata-se de um traço característico de sua personalidade e de sua espiritualidade.

3

Sestrière, 21 de março de 1955
segunda-feira à noite

Queridíssimo Pietro,
estou muito feliz, porque escutei a sua voz pelo telefone. Como lhe disse, hoje nevou o dia todo, mas assim mesmo esquiei cerca de 4 horas[6]; em compensação, esta noite o céu está magnificamente estrelado; por isso, espero que amanhã seja um belo dia. O ambiente e o acolhimento do hotel são também muito bons. Só falta você, Pietro, e já experimento antecipadamente a alegria de vê-lo ao meu lado sábado e domingo. Hei de estar sozinha com você; passarei com você as últimas horas de minhas férias. Agradeço-lhe o belo passeio de sábado à Suíça; você é muito zeloso comigo; realmente não mereço isso e prometo-lhe que farei tudo para ser da mesma forma com você.

Você continua trabalhando muito? Não me parece justo que esteja tão ocupado e eu aqui sem fazer nada. Se pudesse mandar-lhe um pouco deste ar puro, eu o faria de todo o coração!

Até breve, querido Pietro, lembranças carinhosas a seus estimados pais e até o próximo encontro com muito amor, sua

Gianna

4

23 de março de 1955

Meu queridíssimo Pietro,
hoje, ao meio-dia, ao voltar de meu passeio de esqui, recebi a sua carta expressa; pode imaginar quanto prazer me deu, por suas palavras tão doces e carinhosas, através das quais transparece todo

---

[6] A beata, que desde menina costumava ir à montanha, era uma boa esquiadora. Destaca-se seu legítimo apreço pelos cenários alpinos e, em geral, mais pela natureza, cuja contemplação saudável é um caminho que leva a Deus.

o amor que você tem por mim. Obrigada, querido Pietro, também o amo, e muito, e penso que sempre nos amaremos. Você tem um caráter tão bom e é tão inteligente que me compreenderá sempre e jamais discordaremos. Fiquei triste por saber que segunda-feira trabalhou demais; penso continuamente em você e, se pudesse ajudá-lo, eu o faria de todo o coração.

Ontem e hoje foram dias de sol belíssimo. Levanto-me de manhã, às 8h (que injustiça! Você já está no trabalho!), porque às oito e meia é a missa[7]. Acredite: nunca apreciei tanto a missa e a comunhão como nestes dias. A capela, muito bonita e acolhedora, está vazia. O celebrante nem mesmo tem coroinha; então o Senhor é todo para mim e para você, Pietro, pois, afinal de contas, onde eu estiver, você também estará[8].

Depois do café da manhã, partimos de imediato com os nossos esquis e montanha abaixo... pelas pistas. Geralmente, às onze, acompanho o treinador de esqui para fazer alguns exercícios e... modéstia à parte, aprendi a fazer também as descidas difíceis. Mas fique tranquilo, não há perigo nenhum; onde o declive é muito íngreme, o treinador mesmo me faz subir pelo caminho mais fácil. Mas é maravilhoso. Quando se está lá em cima com um céu claro e tranquilo, a neve branquíssima, como se fica alegre e se louva a Deus!

Pietro, você já sabe, sinto-me tão feliz quando estou em contato com a bela natureza que passaria horas a contemplá-la.

Depois do almoço, ao contrário, após breve descanso e um pequeno passeio, voltamos para o campo, por volta das quinze horas, e nos reunimos mais ou menos às dezoito horas. Parece que o tempo não passa; por sorte, tenho a ótima companhia de Piera[9], pessoa muito alegre, e damos aquelas gargalhadas!

---

[7] A beata costumava ir à missa todos os dias. Como se pode notar, mesmo em férias, não faltava a essa prática.

[8] Os dois jovens preparavam-se para o noivado e viviam uma unidade espiritual que antecipava a união sacramental.

[9] Pierina Fontana, nascida em Magenta em 1931, era companheira na A.C. e amiga da beata desde o fim da guerra até à morte. As duas jovens planejaram casar-se no mesmo dia, mas depois um problema do noivo de Fontana impediu a realização desse desejo.

É essa a descrição de meu dia, um tanto quanto diferente do seu, pobre Pietro, sempre trabalhando.
Daqui a dois dias nos veremos. Que alegria!

Gianna

5

Sestrière, 25 de março de 1955
sexta-feira

Queridíssimo Pietro,
envio-lhe estas minhas fotografias[10] na esperança de que lhe confiram alegria. Aqui, o tempo está sempre bonito; o sol está tão quente que nos queimamos tanto que você nem imagina!...

Ficamos com a aparência diferente, verá, não mais me reconhecerá; um pouco vermelha, um pouco preta, um pouco de todas as cores. Os protetores solares para nada servem; mas, ainda assim, a tentação pelo esqui é tal que, embora nos queimemos, não levamos em conta isso e vamos para as estações de esqui.

Meu querido Pietro, a minha felicidade seria completa se você estivesse aqui também para usufruir do ar puro; mas as próximas férias haveremos de passá-las juntos. Certo?

Desejo mesmo ser para você sempre motivo de alegria e consolo, porque o merece e tem necessidade dele com todo o seu trabalho e as suas preocupações[11]. Quero dizer para que me puxe as orelhas toda vez que não tiver juízo!

Até breve, queridíssimo Pietro; na expectativa de abraçá-lo amanhã, envio-lhe as mais afetuosas e cordiais saudações. Sua

Gianna

---

[10] Gianna Beretta Molla é uma das primeiras santas das quais temos fotografias. Assim, é possível perceber nas fotografias desses meses a profundidade de sua expressão do olhar, a alegria do rosto iluminado pelo amor cristão.

[11] Cautelosamente, declarou ainda o marido: "Desde o começo e em quase todas as cartas volta a pergunta: 'diga-me o que devo fazer para torná-lo feliz'. Não foi difícil para mim corresponder a esse amor seu. Se ela queria fazer-me feliz, qual poderia ser o meu propósito senão torná-la feliz?"

6

9 de abril de 1955

Meu amado Pietro,
como lhe agradecer a magnífica aliança?[12] Querido Pietro, em sinal de reconhecimento, eu lhe dou o meu coração e sempre amarei você como o amo agora.

Acredito que na véspera de nosso noivado há de sentir-se feliz, sabendo que é para mim a pessoa mais querida, a quem sempre dirijo meus pensamentos, afetos e desejos e só espero o momento de ser sua para sempre.

Queridíssimo Pietro, você sabe que é meu desejo vê-lo feliz e saber que está feliz; diga-me como deverei ser e o que deverei fazer para fazê-lo feliz.

Tenho muita confiança no Senhor e estou certa de que ele me ajudará a ser sua digna esposa.

Muitas vezes, gosto de meditar o texto da epístola da missa de Santa Ana. "A mulher forte quem a encontrará?... Nela confia o coração de seu marido... Ela proporciona-lhe prazer e jamais desgosto, todos os dias de sua vida"[13] etc.

Pietro, gostaria de ser para você a mulher forte do Evangelho![14] No entanto, sinto-me fraca. Quero dizer-lhe que me apoiarei em seu braço forte. Sinto-me tão segura ao seu lado! Pietro, hoje lhe peço um favor! Se você vir que faço alguma coisa que

---

[12] Trata-se do anel de noivado, marcado para o dia 11, que Pietro lhe havia dado com alguns dias de antecedência.

[13] É este o começo do famoso poema de louvor à mulher virtuosa contido em Pr 31,10-31. A tradução aplicada à beata é a da *Vulgata* que fala da mulher forte, enquanto a versão atual da CNBB (Conferência Nacional dos Bispos do Brasil) fala da mulher de valor.

[14] O Evangelho está pela Bíblia ou pela Liturgia. Ao contrário, como sabemos, a citação é tirada do Antigo Testamento. Parece-me significativo neste ponto referir-se a um excerto da carta de resposta do marido: "Minha querida Gianna... Você é a mulher forte que pedi ao céu e que a Mãe celeste me concedeu. Sempre lhe confiarei todo o meu coração e todo o amor que receber. Sempre me ame como me ama hoje; seja sempre amorosa e bondosa para comigo, solícita, doce e sempre compreensiva como é agora. Veja como já me faz e como lhe peço fazer-me sempre feliz. Você é para mim a mulher forte do Evangelho".

não é do seu agrado, diga-me, corrija-me, entendeu? E sempre lhe serei grata.

Com muito amor, desejo-lhe uma Santa Páscoa.

Um abraço, sua

Gianna

7

18 de abril de 1955
segunda-feira à noite

Meu muito querido Pietro,
precisamente hoje, dia que não poderia desfrutar de sua querida companhia, é que o desejo ainda mais junto de mim: recebi a sua carta. Pietro, você é mesmo bom e carinhoso, e o agradeço por isso. As suas palavras comoveram-me e estou satisfeita com a resposta dada à minha pergunta: "como terei de ser para torná-lo feliz?", e você respondeu-me para que eu continue sendo boa, amorosa e compreensiva, como agora. Hei de sê-lo, caríssimo Pietro, e não me canso, porque você é muito bom para comigo.

Já sabia que você me ama muito, mas tendo-me confirmado hoje em sua carta, encheu-se o meu coração de alegria.

Mas reflita, Pietro: se o Senhor nos deu esse grande presente, como lhe devemos ser reconhecidos![15]

Pietro, prometi-lhe que sempre lhe revelaria as minhas preocupações. Perdoe-me por expressar-lhe uma dúvida que não me perturba pouco.

Tenho medo de não agradar aos que lhe são caros[16], de não ser aquela que eles desejam para você.

---

[15] Após ter externado totalmente o seu amor, a beata volta o pensamento para Deus. Não que o amor humano tenha necessidade de ser corrigido e quase que renegado frente a Deus. Ao contrário, quando é autêntico, o amor entre os cristãos conduz a Deus espontânea e gratuitamente.

[16] Os pais de Pietro, Luigi Molla (1884-1956) e Maria Salmoiraghi (1885-1978), eram muito ligados ao filho. Esse seu apego foi a causa de uma pequena incompreensão, logo resolvida, como se pode verificar na carta escrita depois desse fato.

Sei que sempre foi e ainda é o centro de seus afetos, e parece-me que está com eles porque desejam o seu bem, porque são os seus pais; não sinto por eles o afeto que mereceriam pela bondade e delicadeza que me demonstram.

Se o ofendi dizendo-lhe isso, perdoe-me.

Até breve, querido Pietro, seja feliz e receba muitos beijos de sua

Gianna

8

10 de junho de 1955

Meu queridíssimo Pietro,

por saber que lhe causa muito prazer receber os meus rabiscos, envio-lhe estas poucas linhas para repetir mais uma vez que estou feliz e que estou certa de que com você, dono de um coração tão grande, bondoso e compreensivo, sempre nos entenderemos e sempre nos amaremos.

Querido Pietro, quando, no domingo passado, sua mãe me disse que depois deveria vê-lo infeliz, não sabia o que fazer; duvidei de que seria capaz de satisfazê-lo o quanto merece, ou seja, de não ser tão boa e compreensiva como deveria ser. Ora, ao contrário, após suas repetidas e convincentes palavras, estou tranquila e satisfeita por saber que também está satisfeito[17].

Caríssimo Pietro, não sei como lhe agradecer o belo consultório[18] que com tanta dedicação está preparando-me.

Quando estiver pronto e entrar nele, será como se estivesse ainda mais perto do meu trabalho e, assim, também você contri-

---

[17] Cf. a carta anterior e a nota n. 16. Merecem, em todo caso, ser sublinhadas a delicadeza da beata e a sua vontade firme de fazer feliz o marido.

[18] Trata-se do ambulatório médico (comumente chamado "consultório" na linguagem coloquial) que Pietro, depois do noivado, havia começado a montar no recinto da casa paterna, mais espaçosa e acolhedora do que a casa alugada que Gianna dispunha em Mesero.

buirá para diminuir os sofrimentos e dar um pouquinho de alegria aos meus queridos doentes.

Amo-o muito, Pietro, e para mim você sempre está presente, começando pela manhã, quando durante a santa missa, no ofertório, ofereço com o meu também o seu trabalho, as suas alegrias, os seus sofrimentos e, depois, durante todo o dia até a noite[19].

Gostaria de vê-lo sempre todos os dias, mas... seria muito egoísta.

Assim, quando estiver cansado, não faça cerimônias e diga-me que eu o mando para casa mais depressa, entendeu? Você já está cansado pelo trabalho e não quero ser também causa de cansaço.

Tchau, passe bem, muitos beijos, sua

Gianna

9

1º de julho de 1955
terça-feira à noite

Meu queridíssimo Pietro,
são nove horas, hora em que em geral chega o meu querido Pietro, mas esta noite, nada a fazer... é terça-feira! Vão dizer-me que sou muito egoísta e muito exagerada, mas quanto mais estiver com você, mais quero estar, quanto mais o conheço, mais o desejo. Estimado Pietro, a vida é assim. E para estar um pouco ao seu lado é que lhe escrevo[20].

---

[19] É o sentido da comunhão católica que os cônjuges vivam exemplarmente para toda a Igreja. O sacramento concede-lhes viver na prática a troca de alegrias e sofrimentos, de sacrifícios e de tranquilidade próprios à vida da graça. Impõe-se também a comparação entre o noivado e o período de preparação para a vida religiosa. Ao fervor dos noviços corresponde o entusiasmo dos noivos, que deve ser seguido de uma vida matrimonial que não anula a ternura juvenil, mas que é capaz de enfrentar uma rotina que requer as virtudes da força e da perseverança, da discrição e da justiça.

[20] Esta carta é um exemplo admirável para os jovens que se preparam para o matrimônio. Ela transmite delicadeza e finura de sentimentos humanos e uma grande concepção do matrimônio cristão.

Pietro, agradeço-lhe o bem que me deseja; queria um homem carinhoso, bom, e o Senhor o colocou ao meu lado, como queria também lhe ser sempre motivo de alegria e consolo, mas, às vezes, sou acometida da dúvida de ser um peso para você. Fique tranquilo e carinhoso, e eu o distraio horas!

Domingo, enquanto escolhíamos os móveis, já pressentia a alegria de uma casinha toda bela, luxuosa e nova. Grata pela sua preciosa compreensão e por querer satisfazer aos meus desejos.

Pietro, pense em nosso ninho[21], aquecido pelo nosso amor e alegrado pelos "popi"[22] que o Senhor nos dará! É certo que também passaremos por dificuldades, mas se nos amarmos sempre como nos amamos agora, com o auxílio de Deus, saberemos juntos suportá-las. Não é?

Agora, porém, alegremo-nos pela satisfação de amar-nos; sempre me ensinaram que o segredo da felicidade está em viver cada momento e agradecer ao Senhor tudo o que em sua bondade nos envia no dia a dia[23]. Por isso, corações ao alto e vivamos felizes!

Até a próxima, queridíssimo Pietro, não exijo resposta; escrevi-lhe a fim de passar a tarde com você e para dizer-lhe mais uma vez que o amo muito, muito.

Beijos, sua

Gianna

---

[21] É um sentido da discrição da casa que se cultua. Aberta a todos, é, antes de tudo, o lugar da família, onde ela se encontra para viver o amor de seus membros.

[22] "Popi" é uma palavra do dialeto lombardo para designar crianças. A beata servia-se dela também para exprimir seu carinho. Neste caso é importante a tranquilidade alegre de quem está acostumado a acolher a vontade de Deus.

[23] Percebe-se aqui a sabedoria de Coélet ("Há um tempo para nascer e um tempo para morrer", 3,2ss.) acompanhada do entusiasmo juvenil e da confiança no Senhor.

10

4 de setembro de 1955
sábado à noite

Meu queridíssimo Pietro,
esperava você e já imaginava que lhe tivesse acontecido alguma coisa, mas o seu telefonema tranquilizou-me.

Meu caro Pietro, você sabe que alegria é para mim vê-lo e poder estar em sua companhia, mas quando motivos de *força maior* às vezes não o permitam, e a razão diz que "é justo, é oportuno agir desta ou daquela maneira", o coração... protesta e assim esta noite, para fazer passar o chamado tédio, escrevo-lhe.

Caríssimo Pietro, desejaria que estivesse ao meu lado estes dias, porque você nem pode imaginar o que sinto ao saber que viaja para tão longe. Dirá que exagero, mas é isso mesmo. Você é meu querido Pietro; sinto-me enfim uma só alma e um só coração com você.

Você é bom, querido, deseja-me muito bem e também lhe quero muito, muito; as suas alegrias são também as minhas, e tudo o que o preocupa faz sofrer também a mim[24].

Quando reflito sobre o nosso mútuo e grande amor, agradeço ao Senhor incessantemente. É mesmo verdade que o amor é o sentimento mais belo que o Senhor colocou na alma dos homens[25]. E nós nos amaremos sempre, como agora, Pietro.

Faltam apenas vinte dias e depois serei... Gianna Molla! Você não acha interessante fazermos um tríduo para nos prepararmos espiritualmente antes do casamento?[26] Nos dias 21, 22 e 23, santa

---

[24] Volta o sentido da comunhão humana que a fé não só reconhece, mas aprofunda e reforça.

[25] Amar e sentir são as bases da experiência cristã para a qual chamou, com vigor, a atenção um teólogo como Hans Urs von Balthasar. Amar e sentir fazem parte da experiência do matrimônio cristão, mas são também elementos objetivos e subjetivos da fé cristã.

[26] Gianna orientava o marido para um caminho espiritual comum. Ela revelava-lhe passo a passo a sua profunda piedade cristã e convidava-o a segui-la. O marido falou com cautela de pedagogia completa, porque "ao mesmo tempo que me convidava para as manifestações de liturgia e piedade, propunha-me um novo modelo de humanidade" (P. MOLLA – E. GUERRIERO, *op. cit.*, p. 46).

missa e comunhão, você em Ponte Nuovo, eu no Santuário de Nossa Senhora da Assunção[27]. A Senhora acolherá as nossas preces e desejos e, porque a união faz a força, Jesus não pode deixar de escutar-nos e ajudar-nos[28].
Estou certa de que dirá que sim e lhe agradeço.
Se for de seu agrado, a próxima viagem estarei bem junto de você e lhe direi muitas e muitas vezes, até cansá-lo, que seja por toda minha vida.
Graças mil, Pietro, pela magnífica casinha que me preparou. Mais bonita do que ela não poderia desejar. Agora devo recompensá-lo, tornando-a cada vez mais doce e acolhedora.
Boa viagem, meu querido Pietro, e não... perca o trem domingo próximo!
Beijos grandes, muito grandes, sua

Gianna

11
13 de setembro de 1955

Meu querido Pietro,
não tenho palavras para agradecer-lhe as suas magníficas e mui carinhosas cartas, que, uma após a outra, me são enviadas nesses dias[29]. Toda carta, toda palavra sua é para mim motivo de alegria imensa. Você é um tesouro, Pietro, e quanto mais leio suas

---

[27] O casamento estava marcado para 24 de setembro. Nos dias 21, 22 e 23 os noivos prepararam-se com um tríduo centrado na santa missa e na comunhão. Conseguiram vencer a ansiedade das infinitas incumbências pré-matrimoniais e ter a vantagem da preparação espiritual.

[28] Pietro ia ao Santuário da Senhora do Bom Conselho, em Ponte Nuovo; Gianna, ao de Nossa Senhora da Assunção, em Magenta. Os dois noivos recorriam assim à Virgem, pedindo-lhe que escutasse as suas preces e, como em Caná, que as apresentasse a Jesus com santa insistência.

[29] Temos a carta de 10 de setembro que entre outras coisas, dizia: "Gianna, quero ser o marido que você queria nos seus mais belos sonhos e desejava nos seus desejos mais alegres e santos, o marido digno de suas virtudes, de sua bondade e de seu imenso amor".

cartas, mais me convenço de que é bom, tão bom que reúne em você tantas virtudes que a sua humildade esconde, mas que a sua Gianna vê e aprecia.

Agradecida por tudo, Pietro; gostaria de poder dizer-lhe tudo o que sinto e tenho no coração, mas não consigo, e você que já conhece bem meus sentimentos, sabe percebê-los.

Queridíssimo Pietro, estou certa de que sempre me fará feliz como hoje o sou e que o Senhor escutará as suas preces, porque são feitas por um coração que sempre o amou e serviu santamente.

Pietro, quanto tenho a aprender com você! Você é mesmo um exemplo e lhe agradeço. Assim, com a ajuda e a bênção de Deus, faremos tudo para que nossa nova família seja um pequeno cenáculo[30] em que Jesus reine sobre todos os nossos afetos, desejos e ações.

Meu querido Pietro, faltam poucos dias e sinto-me comovida por aproximar-me de receber o Sacramento do Amor. Tornamo-nos colaboradores de Deus na criação; assim podemos dar-lhe filhos que o amem e o sirvam[31].

Pietro, conseguirei ser a esposa e a mãe que sempre desejou? É isso mesmo o que quero, porque você o merece e porque lhe devoto muito amor. Beijos e abraços com todo o amor. Sua

Gianna

---

[30] Essa expressão, particularmente incisiva, agrada muito a Pietro. Tornou-se uma imagem visual à qual os cônjuges faziam a mesma referência.

[31] É a teologia pré-conciliar do matrimônio, expressa, todavia, com graça e delicadeza femininas. Esse aspecto é típico da beata: ela mesma repetia afirmações tomadas quase ao pé da letra de acordo com o tempo; no entanto, sabia aumentá-las e transfigurá-las com a sua argúcia.

II

"O SEU GRANDE AMOR ME AJUDARÁ A SER FORTE"

(dezembro de 1955 a julho de 1958)

1

14 de dezembro de 1955
terça-feira à tarde

Meu queridíssimo Pietro,
eis que passei uma noite e metade do dia[1] sem o meu amado Pietro; mas para mim ele está sempre presente e o sigo passo a passo em sua longa viagem. Ontem à noite voltei de Magenta, à procura dos seus familiares para tranquilizá-los e também para dar-lhes as suas saudações; após o jantar com os meus familiares, voltei com Zita para a nossa capela.

Pietro, dirá que exagero, mas estou vazia e triste por não vê-lo! De repente resolvi desejar boas festas a todos pelo santo Natal; assisti ao segundo telejornal..., mas o meu Pietro não apareceu na tela da TV. Com um belo rosário, com a prece pela nossa família e com o meu querido tesouro no coração e na mente, acabei dormindo[2].

Queria acordar para a santa missa das seis e adivinha quem me acordou?... A bendita sirene da fábrica! Assim, acompanhada de Zita, fui para Magenta, assisti à missa das oito e meia. Depois passei para pegar Iucci e voltei com Zita para Ponte Nuovo.

Iucci[3], toda satisfeita, chegou com seu pijaminha: ficará apenas um dia; depois faz a troca com Maria Vittoria.

Como vê, companhia não me falta. Você, ao contrário, fica completamente só na fria Suécia. Agasalhe-se bem, Pietro, e não trabalhe em demasia. Pudesse eu ser útil em seu trabalho, mas nada posso fazer senão pedir que o Senhor o proteja sempre e o ajude.

Meu querido Pietro, estou muito feliz porque o amo muito e você me ama também; e sempre farei tudo para que possa encon-

---

[1] A carta foi escrita no dia seguinte à partida do marido para a Suécia, a serviço.

[2] Breve inciso revela a piedade da beata e a sua profunda espiritualidade familiar.

[3] Iucci (Amalia) e Maria Vittoria, de quem se fala a seguir, eram filhas de Ferdinando. A beata, na ausência do marido, levava para a casa suas sobrinhas.

trar em mim a mulherzinha bondosa, amorosa, compreensiva e sempre sorridente.

Um beijo grande, muito grande, e um abraço amoroso da sua

Gianna

2

15 de dezembro de 1955
quarta-feira à noite

Meu querido Pietro,
enquanto lhe escrevo, você ainda está viajando; como gostaria de estar ao seu lado para fazer passar mais rápido as suas horas de viagem de trem!

Hoje estava um dia muito, muito cinzento, chovia, nevava; estava escuro lá fora e um pouco escuro também dentro de meu coração, por saber que está tão longe. Mas passarão também estes dias e chegará terça-feira... e retomaremos então a nossa vida. As belas horas são tão cheias de intimidade e de amor que desejaria que não mais terminassem. Como está? Faz muito frio? Como penso em você, Pietro! E agora que está longe, compreendo cada vez melhor que o amo muito e que sem você não mais poderei viver. Esta manhã, participei da missa, comunguei em nossa capela e pedi à Nossa Senhora por você, Pietro, para que o ajude e o proteja.

Depois, ao meio-dia, chegou Mariuccia[4] e quis que fosse com Zita almoçar em Bernate; tive de satisfazê-la.

De Bernate fui à fazenda Crespi, chamada para uma visita, e depois fui para Mesero. Encontrei-me com papai e mamãe[5] e narrei-lhes o seu itinerário, tranquilizando-os porque esta noite você iria ao hotel para dormir.

---

[4] Mariuccia (Maria Bambina Parmigiani, viúva de Mainini), nascida em Magenta no dia 19 de outubro de 1925, foi amiga íntima da beata, de 1942 até a morte.

[5] Trata-se dos sogros da beata, Luigi Molla e Maria Salmoiraghi.

Pietro, adoraria escrever-lhe todos os dias, mas receio que não receba minhas cartas. Você não sai do meu pensamento e espero ansiosamente pelo dia em que poderei abraçá-lo de novo.
Passe bem; não exagere no trabalho. Com muito amor, abraços e beijos. Sua
Gianna

Muitas saudações de Zita.

3

11 de abril de 1955...
11 de abril de 1956

Meu querido Pietro,
já se foi um ano de nosso noivado[6]: ano de satisfações íntimas, de grande amor, de maior compreensão.

Os melhores votos que de todo o coração eu faço é que tenhamos muitos e muitos anos como este, e que o Senhor abençoe e conserve sempre o nosso grande amor.

Com todo o amor, beijos, sua
Gianna

4

abril de 1957
quinta-feira à noite

Meu querido Pietro,
como não responder às suas palavras carinhosas?
Querido Pietro, quanto me conforta seu grande amor!

---

[6] O bilhete recorda o primeiro aniversário de noivado. Pietro estivera em Paris e voltava para casa, de trem. Além do frescor do tom, percebe-se a força do amor que encontrara em Cristo a sua origem e o seu fundamento.

O Senhor abençoou de novo o nosso amor, dando-nos mais um filho[7]: estou feliz, e com o auxílio da Mãe celeste[8] e com você ao meu lado, você que é tão bom, compreensivo e amoroso, não mais me amedrontam os sofrimentos pela nova gravidez.

Obrigada, queridíssimo Pietro, por suas orações. A Senhora há de escutá-lo certamente, e teremos assim um outro menino como o nosso Pierluigi. Que querido anjinho! Cada dia fica mais bonito, mais esperto, parece que entende quando se lhe fala. Que consolo! Não é verdade, Pietro? Cada vez que o beijo nos dias de sua ausência, beijo-o também por você. Quem sabe quantas vezes você pensará nele, querendo estar ao seu lado! Felizmente faltam apenas quatro dias para a sua volta: já pressinto a alegria de revê-lo, de abraçá-lo, de vê-lo finalmente um pouco mais tranquilo para alegrar-se com o seu querido anjinho. Como é bom quando está com ele no colo e o faz sorrir! E quando, de manhã, estende os bracinhos para acariciar você! Que belo quadro! Quando balbuciar as primeiras palavras, será ainda mais querido. Por ora, fala com os seus olhos azuis, sempre sorridente, batendo os braços e as perninhas.

E agora, Pietro, peço-lhe um grande favor. Perdoe-me se algumas vezes estiver de mau humor, triste[9]: procuro reagir, mas frequentemente não consigo; espero que seja uma indisposição dos primeiros meses.

O seu grande amor me ajudará a ser forte e a vencer.

Aguardo-o, Pietro, com todo o amor.

Beijos e abraços, com o nosso querido anjinho, sua afeiçoadíssima

Gianna

---

[7] Com essa carta, anunciava ao marido uma nova gravidez. O primeiro filho, Pierluigi, nasceu no dia 19 de novembro de 1956. Mariolina, ao contrário do que se fala, nasceria no dia 11 de dezembro de 1957.

[8] Impressionava a vizinhança com a devoção a Maria, Mãe de Jesus, e a espiritualidade familiar.

[9] É a confirmação de que a alegria e a capacidade de sorrir, que todos os testemunhos atribuem à beata, foram uma conquista mais do que um dom natural.

5

15 de julho de 1957

Querido Pietro,

acabo de chegar da casa de campo, com os vales para trinta litros de gasolina e, como tratamos, envio-lhos o mais rápido possível, esperando que cheguem sábado. Depois do dia 25/7, entregar-me-ão os outros.

São 17h30min e Pierluigi dorme tranquilo há quase duas horas. Oxalá dormisse sempre assim. Hoje o dia está bastante fresco. O sol aparece e desaparece de repente. Eu, Adelaide[10] e as crianças levamos Pierluigi para passear pelo pinheiral, durante mais ou menos uma hora. Estava feliz, pobre anjinho! Espero que suas dores tenham desaparecido[11]. Cuide-se e não trabalhe desmedidamente, entendeu, meu querido Pedrin?

Quando vier, traga-me, por favor, o meu rosário. Obrigada. Minhas muitas saudações à mamãe[12] e agradeça-lhe tudo o que fez por nós e por você no período em que estivemos distantes.

Espero-o no sábado de manhã; você nem pode imaginar com que alegria! Pena que faltam ainda dois dias... mas chegará o dia 28[13]!

Muitos e muitos beijos de seu Pierluigi e de sua amorosíssima

Gianna

---

[10] Trata-se de Adelaide Agnese Molla, irmã do engenheiro Pietro e cunhada da beata.

[11] Numa visita anterior, o marido manifestara um mal súbito, pelo qual a beata se preocupa com carinho.

[12] Houve alguns mal-entendidos com a mãe do engenheiro Molla. Depois disso, a beata mostrou-se mais amorosa.

[13] O marido, é evidente, esperava encontrar-se com a esposa no final da semana. Dia 28, aliás, começavam as férias de verão.

6

16 de julho de 1957
terça-feira à noite

Meu caríssimo Pietro,
são só 20h30min e já acabamos de jantar. Nosso tesouro dormiu neste instante, após ter chorado um pouco, antes de encontrar a posição cômoda. Você, pelo contrário, infelizmente ainda deve estar em Milão. Querido Pietro, seria muito bom que pudéssemos estar sempre juntos; quando você está aqui, tudo me parece mais agradável: a ansiedade e as preocupações com Pierluigi são divididas com você[14]. Paciência! Ofereçamos tudo ao Senhor, para que ajude o nosso tesouro a suportar o seu primeiro sofrimento e faça que fique totalmente curado. Prometi à Senhora da Saúde[15] rezar um rosário inteiro todos os dias pelo nosso querido anjinho. Faria tudo para não o ver sofrer! Hoje, porém, conseguiu dormir umas duas horas com o seu aparelho: esperamos que melhore.
Até a próxima, caríssimo Pietro, e boa noite. Sua

Gianna

7

17 de julho de 1957
quarta-feira de manhã

Querido Pietro,
antes de pôr no correio a minha carta[16], quero dar-lhe as notícias de Pierluigi. Dormiu sempre com o seu aparelho, acor-

---

[14] O menino sofria de uma luxação no quadril e, por causa disso, usava um aparelho ortopédico de que se fala a seguir.

[15] Trata-se de um pequeno santuário no vale Veny, no sopé do Monte Bianco, a 2 quilômetros mais ou menos do centro de Courmayeur. A beata ia aí frequentemente rezar.

[16] Trata-se, portanto, de um bilhete enviado junto com a carta anterior.

dando toda hora, mas não chorava nem reclamava. Assim, com seu bonito sorriso, dormia de novo muito bem no meu colo. Às 6h, dei-lhe a mamadeira e mamou tudo; em seguida, desenfaixei-o; esperneou feliz até às 8h e ainda está dormindo.

Hoje espero com alegria o momento de escutar sua voz pelo telefone. Por ora, receba muitos e muitos beijos de seu Pierluigi e de sua

Gianna

Muitas e muitas queridas saudações à mamãe.

8

18 de julho de 1957
quinta-feira à noite

Querido Pietro,

recebi ontem a sua carta de segunda-feira; hoje, a de terça! Meu Pietro, você é mesmo um tesouro! Saiba que me causam grande prazer e que me são de ótimo conforto as suas palavras de muito amor e, porque não me deixa nunca faltarem as suas cartas, sou infinitamente agradecida.

O nosso querido anjinho está acostumando-se com o aparelho; durante o dia, suporta-o muito bem; mas procuramos distraí-lo o máximo possível; de noite, dificilmente chora, acorda apenas para mudar de posição, mais ou menos a cada duas horas. Come com bom apetite e tem um rosto bastante corado, assim como o de um pastorinho. E isso devido ao esforço de seu querido papai, que soube escolher um lugarzinho encantador e sempre banhado pelos raios do sol, o dia todo. Alegro-me só em pensar que nos próximos 15 dias estará aqui também você para repousar e respirar as fresquíssimas brisas.

Ontem, das 13h30min às 15h, fomos todos passear, a 15 minutos de nossa casa, num lugarzinho muito bonito, e Pierluigi divertiu-se muito mesmo. Volta para casa sempre alegre, embora não saiba expressar-se com palavras, mostra a sua alegria, mexendo-se e agitando-se no seu aparelho. Depois dorme umas duas horas direto. Por volta das 18h30min, voltamos à igreja para o rosário e, na volta, come papinha e batida de frutas, sempre com muito apetite. Às 20h30min termina o seu dia. Com um grande beijo para o seu papai, ele dorme!

Hoje, ao contrário, passamos o dia em Checrouit[17]: despertamos esta manhã com um sol maravilhoso, um céu limpo e nada frio. Preparadas as mochilas e os equipamentos para a grande alegria de Flavio e Giancarlo[18], tomamos o teleférico e saímos. Pierluigi, muito animado, alegrava com seus gritinhos de alegria as pessoas que viajavam no teleférico.

Chegados ao cimo da colina, coloquei-lhe o aparelho e dormiu durante mais ou menos uma hora. Depois, tendo aumentado um pouco o vento, alcançamos as primeiras estações de esqui; então Pierluigi esvaziou sua mamadeira com apetite. Sábado poderá ver que estão bastante bronzeados. Para voltar tranquilo, tome o seu segundo expresso.

Quão querido maridinho e quão santo papai têm as nossas crianças! Também no seu trabalho, que o consome demais, encontra tempo de pensar sempre em nós, de rezar muito pela sua familiazinha! Jamais conseguirei agradecer suficientemente o Senhor por ter-me dado um companheiro tão querido, bom, amoroso como o meu Pietro[19].

Espero que suas dores tenham passado e que a dor de dente permita-lhe alimentar-se e descansar.

Fiquei triste por ter-me esquecido de dar-lhe as ampolinhas reconstituintes. Antes de tudo há de fazer-lhe bem descansar no sossego de Courmayeur.

---

[17] É a colina que está a cavaleiro de Courmayeur, frente à entrada da galeria do Monte Bianco. A beata, que apreciava a montanha, ia lá frequentemente com os filhos.

[18] Flavio e Giancarlo são os sobrinhos do engenheiro Molla e da beata.

[19] A alegria pelo marido leva ao louvor do Senhor. É um sinal de que o amor verdadeiro leva a Deus.

Agradeça à mamãe suas saudações carinhosas e retribua-lhe em meu nome e em nome de Pierluigi. Diga-lhe que estou tranquila, porque estou certa de que além dele não existe ninguém que possa fazer sentir a distância de sua família.

Até breve, Pietro, muitos e muitos beijos carinhosos de seu Pirluigi e de sua amadíssima

Gianna

9

17 de setembro de 1957
terça-feira de manhã

Meu queridíssimo Pietro,

antes de voltar a Ponte Nuovo[20] para arrumar nossa bela casinha, mando muitos e muitos beijos a você e ao nosso querido anjinho que quinta-feira completa 10 meses! Estou feliz porque o resfriado de Gigetto quase desapareceu. Ontem de manhã, beijei-o antes de partir e ele, embora dormindo, sorriu para mim, e esse sorriso me deu um pouco de alegria. Não quer mais ficar longe de mim, mas infelizmente... Nestes dias tive de atender a muitos doentes: sempre duas boas horas de ambulatório. Amigdalites, bronquites... provavelmente seja a gripe asiática que chegou também a Mesero. Porém, nada de grave; em dois dias ficam bons.

O tempo aqui está bom: faz um pouco de frio de manhã e de noite, mas durante o dia o sol é bastante quente. Queria que fosse assim também em Courmayeur, porque o tempo bom sempre traz alegria e, depois, faz bem à saúde. De qualquer maneira, se tiver feito muito frio, você não deve dizê-lo a mim, que de repente passo também a senti-lo.

---

[20] A situação estava confusa: a beata havia voltado a exercer sua profissão de médica, enquanto Pietro havia ficado com o menino em Courmayeur. Na ausência do marido, a beata dormia em Magenta, na casa paterna onde tinham ficado o irmão Francesco e a irmã Zita.

Esta noite telefono à Irmã Luigia[21] antes das 18h. Assim poderei dar-lhe notícias. Rosetta[22] entrou de férias até o fim do mês. Adelaide[23] cansou de procurar emprego e ontem ficou em casa. Disse-lhe que um pouco de repouso e alegria não lhe fazem nenhum mal. Flavio anda sempre de bicicleta nas ruas novas e vai, como de costume, sempre desabaladamente.

Estou feliz, porque ontem vieram procurá-lo aqueles senhores. As visitas de pessoas de bem sempre são um grande motivo de prazer. Se tiver de vir o engenheiro Marzola[24], avise-me a tempo, para que possa preparar o almoço.

Até breve, Pedrin, muitos beijos ao meu Gigetto e a você; saudações amorosas à mamãe e a Savina[25]. Sua

Gianna

10

20 de setembro de 1957
sexta-feira à noite

Queridíssimo Pietro,
voltando de Mesero, Rosetta[26] ligou-me para falar de seu telefonema. Como é triste não escutar a sua voz nem a de Gigetto. Tinha saído naquele instante; é melhor que você me telefone entre

---

[21] A Irmã Luigia Pagani, canossiana, teve a beata como colaboradora de 1942 a 1947. Escreveu sobre Gianna: "Tinha em alta consideração o estado matrimonial, no sentido de que a Igreja chama *magnum sacramentum*! Não podia nem mesmo pensar que profanações seriam possíveis no casamento, que ela vivia na luz querida por Deus e que protege a união mística de Cristo com a sua Igreja", *Posizione sulle virtù della beata Gianna Beretta Molla*, p. 525.

[22] Maria Rosa Ramazzotti foi empregada doméstica na casa dos Molla.

[23] Adelaide e Flavio são respectivamente cunhada e sobrinho da beata.

[24] O engenheiro Ivo Giovanni Marzola era gerente da fábrica de borracha do grupo Saffa em Ponte Tresa.

[25] Savina Passeri foi empregada doméstica da beata de 1956 a 1962.

[26] Maria Rosa Ramazzotti, cf. nota anterior n. 22.

às 18h e 18h30min. Assim ficarei tranquila com relação ao recebimento de seu telefonema.

De qualquer maneira, obrigada pelas boas notícias.

Como é dura a distância que separa as pessoas que se amam de verdade! O meu pensamento está sempre em vocês; em você que vejo muito amoroso, mais do que mamãe, ao lado do nosso tesouro, e em nosso queridíssimo Pierluigi, que com os seus gritinhos enche nossa casinha de alegria.

Como é bonito! Todos que o viram ficaram encantados. Graças ao céu, está muito bem e é um menino muito esperto e bastante simpático.

A sua fé, caríssimo Pietro, proporciona-me esperança na completa cura do seu torcicolo. É certo que, não lho nego, me preocupa bastante esse incômodo. Que "Nossa Senhora da Saúde" ouça as nossas preces!

Enquanto lhe escrevo, transmitem de Spoleto a *Monon Lescaut* de Puccini; sempre muito bonita e muito doce essa música![27]

Zita e Cecco[28] partiram às 19h para Bérgamo, devendo Cecco encontrar-se com um senhor que, voltando do Brasil, lhe trouxe um aparelho de engenharia que Cecco havia esquecido lá.

Preferi ficar em casa, porque fiquei com medo de cansar-me demais. Mandei as fotografias para Bérgamo, pedindo que se fizesse com urgência. E assim estou aqui só, sozinha, com você, Pietro querido. Além de estar bem, tesouro, prometa-me que terá mais cuidado com sua saúde. Os remédios curam sim, mas o que conta, e você sabe muito bem, é o repouso. Pense em Gigetto, no filho que esperamos com tanta alegria e ansiedade, na sua Gianna que o ama muito, e deseja vê-lo são e sempre feliz.

Fique tranquilo comigo; procuro não me cansar o mais que posso, mesmo porque os pés começam a ficar inchados.

---

[27] Às vezes, a beata acompanhava o marido ao Scala. Era, portanto, uma discreta entendida em música clássica.

[28] Zita e Cecco, respectivamente irmã e irmão de Gianna. Cecco, diminutivo de Francesco, engenheiro civil, esteve no Brasil com o Padre Alberto, de 1949 a 1953.

Vou todos os dias a casa para a limpeza e para colocar as plantas a fim de receberem os raios do sol.

Zita é muito dedicada e sempre está feliz por tê-la aqui comigo.

Quase todos os dias vem também Irmã Virginia, porque está aprendendo com Nando[29] a fazer chapas de radiografia; esperando que um dia a sua reverenda madre provincial compre o aparelho radiológico.

São 23h; termino o meu palavrório, e desculpe-me pela letra feia.

Beijos grandes a meu Gigetto, muitas saudações à mamãe[30] e a Savina; a você um forte abraço da sua

Gianna

11
25 de setembro de 1957

Meu caríssimo Pietro,

as suas magníficas flores e as suas palavras carregadas de amor comoveram-me muito[31]. Sou infinitamente agradecida a você, ao meu Gigetto e sobretudo ao Senhor que nos ama muito.

Mando-lhe junto o bilhetinho do Padre Agostino[32] para que lho responda, como só você sabe responder.

---

[29] A Irmã Virginia e Nando são os outros irmãos da beata. A primeira, médica e religiosa canossiana, foi particularmente vizinha de Gianna, de quem era mais nova três anos. Testemunhou: "Sei que Gianna levava muito a sério a educação dos filhos e considerava-a um prolongamento da procriação e dedicava-se a eles toda manhã", *Posizione sulle virtù della beata Gianna Beretta Molla*, para o processo de canonização, p. 111.

[30] Trata-se da sogra Maria Salmoiraghi, que a beata, com todo respeito, chamava de mãe.

[31] O dia 24 de setembro foi o segundo aniversário de casamento.

[32] O Padre Agostino Cerri, na época delegado arquiepiscopal em Ponte Nuovo de Magenta, mais tarde pároco. Testemunhou que Gianna tinha "uma profunda e viva vida interior e uma presença constante de Deus".

Zita vem sábado[33], e acho que já teremos saído por volta das 17h30min, partindo daqui às 14h30min.
Fico muitíssimo feliz, esperando que todos voltem, porque... ter vizinho é muito bom.
Muitas saudações à mamãe, a Savina.
Beijos ao meu Gigetto e ao seu caríssimo papai.
Sua afeiçoadíssima

                Gianna

12

18 de fevereiro de 1958
terça-feira

Queridíssimo Pietro,
estou satisfeita com as boas notícias que me deu ontem à noite pelo telefone, e espero que o tempo lhe possibilite poder aproveitar o ar livre e ficar ao sol o máximo possível[34]. Aqui hoje está um vento frio de neve, e Pierluigi não pôde sair; distrai-se, por isso, escutando música e dançando. Ontem, como já lhe disse, não mais vomitou[35]. Hoje, ao meio-dia, sim, infelizmente, mas está mais corado e o semblante mais sereno; esperamos que seja um distúrbio devido aos dentes. É certo que faltam ainda 10 dias e poderei passá-los. Querido Pietro, jamais teria imaginado que fosse necessário sofrer tanto para ser mãe! Quero vê-los sempre bonitos, sem distúrbio algum que possa fazê-los sofrer e, ao contrário, cada dia é um pequeno sofrimento... Felizmente você é mais otimista que eu e me dá coragem; se assim não fosse, estaria sempre deprimida.

---

[33] Gianna e a irmã Zita reuniam o marido e as crianças e, depois, voltavam a casa.

[34] Desde o domingo, 16 de fevereiro, Pietro encontrava-se em San Remo para uma temporada de férias necessárias por excesso de trabalho e de cansaço.

[35] Como dirá mais adiante a beata, o menino sofria de hiperestesia do primeiro trato da faringe que lhe causava frequentes ânsias de vômito.

Está aqui ao meu lado, enquanto lhe escrevo, Mariolina[36], com seus belos olhinhos, sorridente a todas as minhas exigências. Esta noite chorou um pouco, não sei por quê; felizmente a Zita não a deixa só. Desejaria fazê-lo sozinha, mesmo durante a noite, mas por ora ainda é impossível. Os dois são muito pequenos e perturbam muito um ao outro.

Você ainda se importa com que Zita continue a ajudar-me? Pergunto-lhe isso, querido Pietro, porque às vezes tenho impressão de que você não esteja gostando[37].

Penso na alegria de Irmã Luigia[38] por tê-lo tido consigo um dia quase inteiro. Vá também procurá-la e agradeça-lhe muito, muito.

Muitos e grandes beijos de seus queridos anjinhos.

Continue bem, bastante alegre, bem descansado e alimente--se; entendeu, querido Pedrin?

Com todo o amor, abraços e beijos, sua afeiçoadíssima

Gianna

Muitos beijos de seu Pierluigi[39].

13

19 de fevereiro de1958
quarta-feira à tarde

Querido Pietro,

uma pequena saudação e um beijo muito grande de suas crianças[40] e de sua Gianna. Noite boa para ambos. Gigetto hoje, ao

---

[36] Mariolina (Maria Zita) nasceu no dia 11 de dezembro de 1957. Na ocasião tinha, portanto, dois anos e meio.

[37] Sobre a carta há um "outro" escrito do engenheiro Molla logo após tê-la recebido.

[38] Sóror Luigia, irmã de Pietro e religiosa da Congregação do Preciosíssimo Sangue, era superiora do convento "Sorriso d'Italia", em Imperia.

[39] Essa frase foi escrita por Pierluigi.

[40] No italiano é usada a palavra *popi*, que vem da palavra dialetal lobarda, significando carinhosamente crianças.

meio-dia, comeu com apetite e não vomitou: esperamos que continue assim. Mariolina regurgitou um pouco e está um tanto irrequieta; neste instante está dormindo. Pierluigi quando vê o seu chapéu, não faz senão repetir ma... ma..., que para ele quer dizer papai. À noite, diz Zita que vai continuamente ao corredor e bate com a mãozinha na porta para vê-lo, chamando mamãe e ma! Que tesouro! Com essas duas palavras quer exprimir tudo que sente.

Ontem à tarde nevou; hoje, ao contrário, o dia está esplêndido: pena que venta muito.

Sexta-feira, Pierluigi foi convidado pelas priminhas[41] para ir a Magenta. Não cheguei ainda a ir a Milão; quero informá-lo de que comprei para eles, em Magenta, um chapéu e uma máscara[42].

Encontrei-me com sua mãe que me pediu que o saudasse muito e que lhe recomendasse repousar, porque você necessita.

Gostaria de ir buscá-lo com Pierluigi. Que acha? Seria mais uma distração para Gigetto?

Muitos e muitos beijos das crianças e de sua

Gianna

Está bem? E os dentes?
Saudações de Zita, Cecco e Savina.

14

20 de fevereiro de 1958
quinta-feira à noite

Queridíssimo Pietro,
espero que esteja sempre bem. Recebi hoje, ou melhor, recebemos os seus cartões. Obrigada e muitos beijos de suas crianças. Ontem à tarde, Mariolina chorou muito, sossegando só por volta

---

[41] Trata-se de Amalia e Maria Vittoria, filhas de Ferdinando, irmão de Gianna.
[42] Trata-se, é verdade, da festa de carnaval.

das duas da madrugada. Vomitou muito, por isso, hoje à tarde, pedi a Crotti[43] que me levasse ao professor Cislaghi[44], em Milão. Nando também foi e, já que levei Mariolina, aproveitei para mandar examinar também Gigetto. Para Mariolina, infelizmente, não há que esperar senão as primeiras papinhas, ou seja, por volta do quinto mês. Receitou gotas para diminuir o piloro-espasmo, mas disse que não é um distúrbio grave, pois a menina tem muito boa aparência, é uma menina sadia, sem problema algum de saúde; naquela hora chorava muito e tive de colocar-lhe supositório para acalmá-la.

O vômito de Gigetto, que aliás o achou bem, belo e robusto, é devido a uma hiperestesia do primeiro trato da faringe, causada por uma irritação provocada por uma coisa qualquer (tosse, casca de pão etc.), distúrbio que desaparecerá à medida que a criança vai crescendo.

Agora estou mais tranquila e, com a ajuda de Deus e toda a minha boa vontade, procurei ter muita paciência[45] e... esperar que as crianças fiquem maiores!

Esta manhã, tendo de ir a Cuggiono para visitar uma paciente minha no hospital, levei Pierluigi para mamãe, que com alegria cuidou dele. Não chorava, disse mamãe, mas não falava e estava triste, muito triste, até que, quando voltei, se pôs de repente a fazer todas as peraltices. Hoje comeu bem e não vomitou. Foi à creche, mas não gostou das máscaras: tinha um pouco de medo.

Lembramo-nos sempre de você e aguardamos o dia de poder abraçá-lo. Além de estar bem, querido Pietro, receba muitíssimos beijos dos seus anjinhos e de sua

Gianna

Saudações da Zita e do Cecco.

---

[43] Crotti era o motorista de confiança do marido.

[44] O professor Cislaghi era, na época, um pediatra muito famoso.

[45] Em fevereiro de 1958, a beata viveu um momento difícil: o marido deveria mudar-se para San Remo a fim de tratar-se; as duas crianças estavam sofrendo de pequenos, mas importunos distúrbios. Animada pela resposta do pediatra, ela agradeceu ao Senhor e prometeu-lhe ser mais paciente.

15

22 de fevereiro de 1958
sábado à tarde

Meu muito querido Pietro,
logo que soou a sirene das 13h[46], e já que as crianças dormem, aproveito para mandar-lhe as nossas mais afetuosas saudações.

Espero que esteja bem e que aquele "basta" pronunciado ontem à noite pelo telefone não tenha exprimido um mal-estar seu. Hoje espero que esteja na querida companhia da Irmã Luigia: com certeza ficará triste quando, terminadas as férias, não mais o vir tão frequentemente! É verdade que tudo acaba: tanto coisas boas quanto coisas ruins.

Pierluigi, sempre muito esperto, não comeu com muita vontade e, depois, ainda pela metade da refeição, vomitou tudo. Querido Pietro, que pena! Era tão bonito ≡ faz tempo ≡ vê-lo comer dois e até três pratinhos de papinha! Agora, ao contrário, não se sabe o que fazer para ele, mas... paciência! Passará, como dizem os médicos. Hoje, Mariolina está bastante tranquila. Dormiu a noite toda e não chora. Hoje, sábado, baile de carnaval na pousada Nuovo de Magenta: mandaram convite também para o engenheiro Molla e senhora: às 12h, abertura e refrigerantes, à noite, baile. Estou feliz porque esteve no concerto; assim passará mais depressa o tempo. Mais uma semana, querido Pietro, e estaremos todos juntos!

Aqui, nada de novo[47], assim disse Adelaide; por isso fique tranquilo e só se preocupe com o seu bem-estar.

Muitas saudações de nós todos e beijos de seus filhos.
Com todo carinho, um abraço. Sua

Gianna

---

[46] A família Molla morava numa pequena casa de campo, no recinto do estabelecimento Saffa. A sirene, portanto, marcava a hora do trabalho dos operários.

[47] Refere-se à Saffa, onde trabalhava a cunhada Adelaide.

16

23 de fevereiro de 1958
domingo à tarde

Querido Pietro,
enfim, um pouco de paz; para Mariolina, hoje é um dia mais ou menos triste. Durante dois dias parecia não existir; hoje, infelizmente, chorou; mas agora está dormindo. Gigetto sempre queria sair e ficar no jardim brincando com as pedrinhas. Imagine como se divertirá no mar! Está aqui sua mãe[48] para ficar com Adelaide por um tempo, uma vez que Rosetta estará de férias a semana toda.

Já são 22h, e desligo o telefone muito feliz por ter ouvido a sua voz e por saber que está bem, sobretudo muito disposto; assim espero. Fico triste por Gigetto não ter pronunciado nem mamãe, nem ma... apenas havia acabado de vomitar, pobre filhinho! Felizmente toma leite sempre com apetite e, o que é importante, não o vomita; não fosse assim, não saberia como poderia viver.

Mariolina está mais calma; dei-lhe camomila e parece que lhe fez bem.

Pietro, perdoe-me se não sou capaz de calar e ser franca, dando-lhe estas notícias[49], mas você é o meu Pietro, o papai, e revelando-lhe as minhas preocupações e ansiedades, elas ficam mais leves.

Fez muito bem mudar de hotel, pois você está agora mais próximo de Irmã Luigia.

Fico triste por não poder ir buscá-lo; ficará para outra ocasião[50].

---

[48] A senhora Maria morava em Mesero com o marido. A fim de ajudar a nora que tinha duas crianças pequenas e não podia contar com a ajuda da empregada, mudou-se algum tempo para Ponte Nuovo, como hóspede da filha Adelaide.

[49] Continua a incerteza entre relatar ou calar as notícias pouco agradáveis ao marido. É uma situação bastante habitual entre esposos. A beleza da santidade de Gianna procede da rotina de uma experiência na qual todo casal pode reconhecer a si mesmo.

[50] Na carta do dia 13 de fevereiro, Gianna havia manifestado a intenção de mudar-se para San Remo com o filho até a volta do marido. Por causa do trabalho, tinha, portanto, mudado de ideia.

Até breve, Pedrin! Mais uma semana e estarei com você. Beijos de Gigetto, sorrisos de Mariolina e um forte abraço de sua

Gianna

17

26 de fevereiro de 1958
quarta-feira à noite

Meu querido Pietro,
Pierluigi e Mariolina estão dormindo; enquanto lhe escrevo, estou ouvindo na televisão "Le canzoni di tutti"[51]; é Tagliavini[52] quem está cantando neste instante "Tornerai da me...", e você está na "Patata"; depois me explicará por que é chamada: patata. Meu querido Pedrin, fico triste por terem terminado os seus dias de descanso, mas estou feliz por poder abraçá-lo dentro de alguns dias. À noite, quando toca a campainha, Pierluigi vai correndo para a porta, na esperança de ver o seu paizinho, mas não o vendo, abana a cabeça e volta para a sala de jantar protestando. Hoje tive de levá-lo comigo à creche[53], porque quando me viu sair de casa, pôs-se a chorar tão forte que não fui capaz de deixá-lo em casa.

Acabou indo comigo; primeiro brincou um pouco com as crianças e com os brinquedos, depois começou a chorar e levaram-no ao ambulatório; mas assim que me viu de jaleco, pôs-se a chorar amedrontado... Logo se acostumou com a ideia de ver-me vestida dessa maneira e, quando as crianças que eu visitava choravam, vinham-lhe as lágrimas aos olhos. Pobre do meu doutorzinho!!!

---

[51] A RAI (Radio-difusão italiana), hoje RAI-TV (Radiotelevisão italiana), iniciou as suas transmissões na Itália em 1954. Estamos, portanto, no início da história e dos programas televisivos.

[52] Renzo Tagliavini foi um cantor famosíssimo da época.

[53] A beata, especialista em pediatria, além de ser proprietária de um consultório médico em Mesero, era médica responsável pela creche e pelo consultório para as mães de Ponte Nuovo.

Hoje parece que está um pouco melhor; vomitou pouco esta noite. É certo que está pálido, mas não é por falta de alimentar-se. Mamãe esteve aqui no jantar, esperando conversar com você: não havia entendido que lhe telefonaria amanhã à noite. Está bem e lhe manda muitas lembranças. Sempre fala de seu Pedrin a Pierluigi, e Gigetto responde dizendo não com a cabeça, como a dizer... que você não está.

Esta manhã encontrei-me com o Padre Luigi, de Magenta[54], e perguntou-me se você viria, porque desejava dizer-lhe que terça-feira, dia 9, o Excelentíssimo Senhor Bispo[55] completa 80 anos (credo!) e que deverá celebrar a santa missa às 18h e deseja que você e Nando sejam padrinhos. Nando telefonou perguntando-me se havia aceitado. Acho que sim, e você? De qualquer maneira, resolverá com ele quando voltar.

Até breve, meu querido marido, esteja alegre e receba os mais belos beijos dos seus três tesouros. Sua

Gianna

18

Magenta, verão de 1958

Caríssimo Pietro[56],

Macciocchi (ortopedista) achou que está tudo bem[57]. Mas, dado o peso da menina, aconselha o aparelho por mais dois meses, apenas à noite. *Deo gratias!*

---

[54] O Padre Luigi Gallozzi, coadjutor em Magenta de 1931 a 1967.

[55] Tratava-se de Dom Luigi Crespi, prepósito de Magenta, que no dia 3 de março completava 80 anos.

[56] Trata-se de um bilhete escrito antes de partir de férias de verão e deixado ao marido, na Inglaterra, por causa do trabalho.

[57] A menina, que tinha sete meses, corria o risco, como correu o irmão (cf. a carta de 6 de julho de 1957), de crescer com um deslocamento no quadril. Daí a necessidade de um aparelho ortopédico.

Até a próxima, querido Pedrin, não trabalhe demais. Telefono para você segunda-feira à noite, às 19h30min.

Beijos,

Gianna

19

6 de julho de 1958[58]
domingo à noite

Meu queridíssimo Pietro,
estou muito feliz por tudo ter corrido bem; espero-o com alegria dentro do mais curto espaço de tempo. Gigetto esperava por você desde ontem[59], quando Zita chegou. Chamou-o da janela por mais de 15 minutos; depois, para consolá-lo, levei-o até à curva onde está a capelinha de Nossa Senhora: rezou a Ave-Maria por seu papai e voltamos para casa[60], esperando que pelo menos Zita chegasse para a janta; chegou, porém, à meia-noite, com mamãe.

Envio-lhe a garrafa térmica por Zita, porque caiu e se quebrou. Comprei-a na rua Orefici, esquina com a praça Cordusio, num mercado de eletrodomésticos; disseram-me que trocasse o vidro interno, dado que estava quebrado[61]. Seria bom comprar uma vasilha térmica, embora pequena, mas larga e rasa para colocar o risoto de Gigetto, porque das estreitas é muito mais difícil tirá-lo.

Coloque com sua roupa: blusa leve de frio, guarda-chuva, sapatos.

---

[58] A beata indica apenas o dia da semana (domingo à noite) sem precisar a data. Ela foi reconstituída, levando-se em conta as indicações de Dom Rimoldi. Há, todavia, algumas dúvidas entre o domingo dia 6 e o domingo dia 13. As datas sequenciais também são reconstituídas a partir dessa indicação.

[59] Sábado, 5 de julho. O menino esperava a chegada do papai para o fim de semana.

[60] Refere-se sempre à tarde de sábado, 5 de julho, quando a beata e o filho haviam esperado em vão a chegada dos familiares. A irmã Zita e a sogra tinham chegado à meia-noite, mas o marido não pôde vir.

[61] De boa situação econômica, a beata estava, todavia, atenta ao uso dos bens terrenos.

Envio-lhe os vales da gasolina; e... boa viagem[62].
Muitos beijos de suas belíssimas e muito simpáticas crianças. Todos o admiram e mandam-lhe lembranças.
Um abraço muito carinhoso e um até breve, sem demora, sua

Gianna

20

9 de julho de 1958
quarta-feira

Queridíssimo Pietro,
estamos todos bem: as crianças já tomaram uma boa cor e comem com apetite. Mariolina perde a paciência, porque não quer mais usar o aparelho[63].

Esta noite, para fazê-la dormir, tive de tirá-lo; esperamos que realmente sejam os últimos dias. Ontem à tarde, levei-a ao pinheiral no Villais. Mariolina movimentava as pernas ao sol, feliz por estar livre. Pierluigi distraía-se atirando pedrinhas aos regos d'água. Pobre Gigetto, chama-o 50 vezes ao dia e todas as vezes que percebe um carro diz: "mamãe... papai", depois balança a cabeça e diz "vovó", subentendido: foi para Magenta, está na casa de vovó.

Hoje o toca-discos não funciona[64]. Diga a Menescardi que ele é um grande embrulhão; obrigue-o a trocar por outro. Pierluigi sem música fica aborrecido. Se chove, não sabemos o que fazer para segurá-lo[65].

---

[62] Na época, a região autônoma de Val d'Aosta oferecia aos moradores boa gasolina.

[63] Trata-se do aparelho ortopédico pedido pelo Dr. Macciocchi. Cf. a carta n. 18.

[64] No final dos anos 50, começam a aparecer os toca-discos, que depois tomaram conta das casas italianas nos anos sessenta.

[65] A vida de fé não elimina as dificuldades da vida cotidiana. Oferece, ao contrário, um auxílio para vivê-las, como dizia São Paulo, no Senhor.

Esquecemos a "rodinha" branca para os discos de 45 rotações[66].

Estou à espera do manual do veículo 1100; os meus vales para 25 litros já os adquiri e lhe envio 15 litros; já usei 10 deles. Faça que Cecco se lembre de emprestar-me o seu manual do veículo. Ainda não vi a senhora Valle[67].

E Nando? Ainda não chegou? Não estão bem as crianças?[68]

Não se perturbem com o verniz branco dos sapatos de Pierluigi, porque os encontrei aqui em Courmayeur. Hoje faz um pouco de sol, chove um pouco, venta um pouco; felizmente as crianças não tomaram sol, nem chuva, nem vento, por isso não estão resfriadas.

Além de estar bem, querido Pietro, à noite, não trabalhe depois do jantar, descanse: você se lembra do ano passado?[69]

Na expectativa de escutar a sua voz esta noite, mando-lhe saudações e beijos com todo o amor e com as nossas belas crianças. Sua

Gianna

Saudações à mamãe.

21

14 de julho de 1958
segunda-feira à noite

Meu querido Pietro,
envio-lhe, para que cheguem a tempo, os vales para a gasolina. Espero que tenha feito boa viagem e que, chegando a Ponte

---

[66] Como se lembram os leitores de certa época, a rodinha era uma peça que servia para ajustar no toca-discos os discos de 45 rotações, porque tinham o furo central mais largo.

[67] A senhora Valle era a proprietária da casa alugada pela família Molla.

[68] Com efeito, como se saberá pelas cartas seguintes, as crianças de Nando foram acometidas de uma doença exantemática.

[69] Refere-se ao fato de que, por excesso de trabalho, Pietro fora acometido de ataques febris e teve necessidade de um período de repouso extraordinário.

Nuovo, não sinta muito a diferença de temperatura. Hoje à tarde, enfim, um pouco claro e um belo sol. O Padre Giuse[70] e o Padre Piero[71] saíram muito rapidamente para uma temporada de descanso no recanto de Torino[72] e conseguiram usufruir do sol e do panorama muito claro. Eu, ao contrário, levei as crianças para um pequeno passeio. Pierluigi, como é de costume, manda sua saudação a todo carro grande que vê passar: "papai". Esta manhã, para consolá-lo, coloquei-o na sua cama, desaparecendo, assim, a saudade de seu paizinho. Esteve aqui a senhora Valle para perguntar-me que intenções tínhamos para o ano vindouro. Não lhe dei nenhuma resposta; disse-lhe apenas que não havia conversado com você. Já lhe pediram a casa para o ano todo, mas não aceitou; prefere alugá-la para nós que a ocupamos só nos dois meses do verão. Não soube exatamente o que lhe dizer. Se temos a intenção de ir ainda à montanha de Courmayeur, os preços são mais ou menos iguais e não convém deixar ainda essa casinha. Ao mar, pensando bem, bastam 15 dias, no final dos quais as crianças começam a ficar irrequietas. Que você acha?

Até breve, meu caro Pietro, até sexta-feira à noite. Beijos de suas crianças e de sua

Gianna

22

16 de julho de 1958
quarta-feira à tarde

Meu queridíssimo Pietro,
esta manhã chove, relampeja e troveja. Pierluigi está dormindo e Mariolina está aqui comigo: que parolagem! Mamãe...

---

[70] Padre Giuseppe Beretta, engenheiro e sacerdote da diocese de Bérgamo, um dos irmãos sacerdotes da beata.

[71] Padre Piero, sacerdote da diocese de Bérgamo, amigo do Padre Giuseppe.

[72] O recanto de descanso de Torino, com mais de três mil metros de altitude, é um ponto de excursão preferido para quem gosta de montanha alta.

pa... pa...; fica cada vez mais traquinas cada dia que passa: quando não está com o aparelho, quer estar sempre sentada e se diverte, ora no balanço, ora na cadeirinha.

Estive com Gigetto e Gianfranco[73] em Morgex[74], para comprar carne; providenciei também para Laura e Furlan[75]; depois, no mercado, comprei uma toalha plástica com quadrinhos brancos e azuis. Assim não será preciso lavar as brancas. Pierluigi fica satisfeitíssimo por caminhar sob a chuva com o guarda-chuva aberto. As crianças de Laura estão bem, todas com febre, mas já cheias de escamações[76]: devem ficar de repouso por mais 15 dias, depois ficarão à vontade. Sábado chega Gronchi[77]; segunda-feira ao telefone pareciam todos doidos. Contrataram mais quatro telefonistas, que se encarregarão do centro telefônico. Duas contínuas dia e noite no Royal, onde tiveram de colocar uma linha direta com Roma; havia na Stipel cabos que deveriam comunicar com Roma e Torino, assim nós pobres coitados... fomos obrigados a esperar mais de uma hora.

Amalia de Zoverallo[78] escreveu-me dizendo que as Irmãs experimentaram o sabão Giglio da "Saffa" e acharam-no muito bom; quiseram comprar por atacado[79]; custa sempre 60 liras, ainda que comprem em grande quantidade? Escrevo a Amalia e depois passo a ordem a Adelaide[80].

Estou triste porque aí faz muito calor e porque você, com esse calor, deverá ir a Roma. Voltando de Roma, poderá ter

---

[73] Filho de Adelaide, sobrinho do engenheiro e da beata.

[74] Morgex, lugar turístico, cerca de 10 quilômetros ao sul de Courmayeur.

[75] Laura Viola, mulher de Ferdinando, cunhada de Gianna. Luigi Furlan, industrial têxtil de Mesero.

[76] As crianças de Laura e Ferdinando foram acometidas de uma doença exantemática (cf. a carta n. 20).

[77] Giovanni Gronchi, político italiano, foi presidente da república italiana de 1955 a 1962.

[78] Amalia Zoverallo, prima solteira da beata, sua madrinha de batismo e de crisma.

[79] Faz referência provavelmente a uma comunidade de Irmãs que, tendo recebido de presente um sabão, produto da Saffa, desejavam obter certa quantidade.

[80] Adelaide, irmã de Pietro, trabalhava para a sua volta à Saffa.

dois dias para descansar, antes de partir para a Espanha, não poderá?

Até breve, saudações à mamãe. Muitos beijos de seus filhos, de Gigetto, que, quando o chama, balança a cabeça e depois lhe manda um beijo.

Um abraço da sua
Gianna

23

20 de julho de 1958
domingo à noite

Meu muito querido Pietro,

são 21h30min; as nossas belíssimas crianças dormem bastante tranquilas em suas caminhas, após terem desfrutado de um belo sol quase o dia todo. Digo quase, porque hoje depois do meio-dia choveu um pouco. Agora, ao contrário, o céu está limpo e calmo; veem-se os belos céus estrelados de que você já desfrutou muitas ocasiões. Adelaide, Cecco e Zita partiram há meia hora, um pouco aliviados e contentes por terem passado um dia com os seus simpáticos sobrinhos. Acho que você ainda está em viagem, mas com o coração aqui conosco[81]. Querido Pietro, seria muito bom poder estar sempre ao seu lado, juntos. Felizmente dentro de uns dez dias começam as suas férias. Que alegria! Pierluigi sente muito a sua falta: quantas vezes o chama! Como é amoroso! Como não é você, não me deixa um momento: mamãe... mamãe. Tem medo talvez de que o deixe como sexta-feira. Como são bonitos! Outro dia, a senhora Valle ficou aqui meia hora prestando atenção e comparava-o com a sua menina de três anos, muito menor e mais franzina do que Pierluigi. Devemos ser agradecidos ao Senhor por ter-nos dado dois grandes e ricos tesouros: bonitos, sa-

---

[81] Como se dizia na carta anterior, Pietro tinha de ir a Roma. Por isso, não pôde unir-se à família na montanha.

dios, robustos. Mariolina também pode considerar-se curada: *Deo gratias!* É para agradecer-lhe todas as graças, que continuamente nos concede, que vou à igreja todas as manhãs e para que me ajude a ser uma mãe corajosa e a torná-lo cada vez mais feliz a cada momento[82].

Junto envio-lhe a relação de pequenas coisas para trazer quando quiser e dos cuidados que deve tomar com Gigetto e Mariolina.

Passe bem, meu querido Pietro, desejo-lhe boa viagem à Espanha; distraia-se e não sofra pela distância que nos separa.

Muitos beijos de seus três tesouros[83]. Sua

Gianna

24

21 de julho de 1958
segunda-feira à noite

Meu querido Pietro,
hoje está um dia bonito, sol esplêndido; como já lhe disse, levei todos ao Checruit[84]: Pierluigi prendeu a respiração assim que o teleférico se movimentou, depois começou com as suas exclamações; você nem imagina como todos os passageiros o observavam e lhe faziam elogios. Na roda-gigante, observava muito bem tudo: campos, flores, as vacas e, à parada, não queria descer: estava gostando muito!

---

[82] Mais ainda, o relato aparentemente neutro da vida cotidiana permite que se perceba o *humus* (terra) que a mantém e a vivifica. Tinha escrito a beata em uma conferência aos jovens da Ação católica: "Aperfeiçoamos a caridade em nós aumentando em nossa alma a alegria. É fonte a Eucaristia, sacramento do amor".

[83] São eles: Pierluigi, Mariolina e Gianna.

[84] Como se vê em seguida, trata-se de um passeio de teleférico. A beata amava as montanhas e a natureza e transmitia essa paixão aos filhos.

Mariolina não chorou mais. Fiz-lhe a papinha no fogareiro ao relento, com Gianfranco que cuidava do fogo[85]. Em suma, tínhamos passado um belo dia, terminado com seu telefonema[86].

Você ouviu a voz com que Gigetto o chamava e que beijos grandes lhe mandou?

Já imaginava que teria ido de avião para Barcelona. Se se cansar menos e fizer mais depressa, é melhor para você.

Aguardo o seu telefonema e o esperamos, sobretudo, de braços abertos terça-feira, dia 29. Diga também ao comendador Lazzari[87] que o médico lhe ordenou mais um mês de repouso absoluto. Se não o fizer agora, que há necessidade, quando repousará? Lembre-se de levar as injeções de cálcio (estão no armário da cozinha).

Até breve, querido Pietro, boa viagem. Beijos e abraços de seus queridos filhinhos e de sua

Gianna

Saudações à mamãe.

Gianfranco lembra-lhe que lhe traga os selos.

---

[85] O menino, na realidade, estava perto do fogareiro. Gianna faz uma amável ironia com o sobrinho.

[86] Pietro, como dizia na carta anterior, partira de avião para Barcelona. Chegado ao destino, telefonara para a mulher.

[87] O comendador Lazzari, diretor-geral da Saffa, era o superior direto do engenheiro Molla. Gianna concitava o marido a não rejeitar as férias.

III

"SUAS CARTAS EXPRIMEM TODO O SEU AMOR POR MIM E PELOS SEUS QUERIDOS TESOUROS"

(abril a junho de 1959)

1

28 de abril de 1959
terça-feira, 8h30min

Meu queridíssimo Pietro[1],
finalmente esta manhã, fiquei sabendo que seu avião estava em Boston, com 9h de atraso. Ontem à noite, às 9h, telefonei para a TWA (Linhas aéreas internacionais), em Milão, mas teria notícias suas somente às 15h. Você nem pode imaginar que horas passamos[2]. Adelaide acaba de dizer-me por telefone que seu telegrama já chegou de Boston. *Deo gratias!* Aguardo notícias detalhadas. Não posso mais continuar... porque as crianças não me dão sossego; continuarei depois, quando estiverem dormindo.

14h

Querido Pietro,
recebi sua primeira carta, escrita do avião, domingo à noite. Obrigada por suas agradabilíssimas palavras[3]. Gigetto, feliz com seu cartão, dormiu dizendo: "papai chegou, papai não caiu". De-

---

[1] De 26 de abril a 17 de junho de 1959, o engenheiro Molla realizou uma longa viagem aos Estados Unidos da América. Mulher e marido trocaram, então, uma intensa correspondência (29 cartas, ela; 35, ele) que resolvi reunir num capítulo especial. As cartas apaixonadas dão lugar a uma mais madura concepção da vida de família, que agora é vivificada por um amor sem altos e baixos. Vale a pena citar, com todo respeito, um excerto de uma carta de Pietro que alguns dias antes da viagem aos Estado Unidos da América escrevia da Alemanha à mulher: "Sempre me alegrei por ter encontrado em você a esposa ideal que eu sonhava e a mãe incomparável de nossos filhos; não obstante, cada dia descubro em você novas virtudes de sacrifício, de paciência, de compreensão e de bondade e de tão profundo amor. E apesar de tudo e da distância, as suas virtudes e o seu amor estão diante de mim mais vivos e queridos e sinto-os muito próximos" (Stoccarda, 19 de fevereiro de 1959).

[2] Gianna tinha medo das viagens de avião. Ela, aliás, esperava notícias da chegada do marido na noite do dia 27 de abril, enquanto, por causa do atraso, a certeza chega somente na manhã do dia 28. Daí a sua preocupação.

[3] Pietro escrevera-lhe: "Obrigado, minha muito amada Gianna, por ter-me seguido até a partida do avião, apesar das suas condições de saúde que tanto aconselham o repouso". A beata, de fato, estava esperando o terceiro filho, Laura, que nasceria pouco mais de dois meses depois, no dia 15 de julho.

veria tê-lo ouvido, domingo à noite, quando viu o avião subir: "papai, tchau... papai no céu... papai, boa viagem... papai, volte logo". Todos ao seu derredor, comovidos, escutavam-no; e ele... explicava: "papai subiu no avião, vai para longe, para muito longe..." Ontem, pois, toda vez que me dirigia ao telefone para chamar a Malpensa e obter notícias, também ele me seguia e, a toda resposta negativa, dizia: "papai não chega", e depois, como para consolar-me, dizia-me: "mamãe... papai não cai". Que riqueza! Ele também acompanhou você, pode-se dizer, minuto a minuto, rezando muitas vezes a Ave-Maria e o Descanso eterno, as suas duas orações preferidas que sabe muito bem de cor. Mariolina, ao contrário, toda vez que ouve a campainha, corre para a porta gritando: "Papai, papai", e Gigi, como gente grande, diz: "Não, menina, papai está longe: chega amanhã". Como percebe, meu querido Pietro, você está sempre no meio de nós, mesmo que grandes distâncias nos separem. As crianças pegam o telefone a fim de ligar para o papai... E basta, para contentá-las, discar um número qualquer e deixá-las conversar. Uma vez que está bem, meu rico Pedrin, não se canse, aproveite as horas livres para belas sonecas. Não se preocupe comigo, que estou bem assessorada e por isso não exagero no trabalho[4].

Esta manhã telefonou-me de Milão o contador Colombo[5], perguntando-me se os seus cheques deveriam ser depositados em minha conta. Disse-lhe que não e que os mandasse também no envelope como de costume; está certo?

Sábado, 2 de maio, é o casamento da filha de Peppino Beretta[6], recebi ontem o convite; não sei que presente lhe dar. À irmã, no ano passado, se não me engano, demos um vaso de cristal; posso presenteá-la com um conjunto de cerâmica? É bom variar um pouco; aguardo sua sugestão.

---

[4] É importante observar a espontaneidade com que a beata passa do amor do marido ao afeto pelos filhos, à atenção aos parentes e aos amigos. A família cristã não é fechada em si mesma, mas é capaz de abrir-se aos outros.

[5] O contador Colombo era o caixa da Saffa.

[6] Peppino Beretta, primo da beata; a filha, que se casava, chamava-se Zita.

Aqui, hoje chove e faz bastante frio. Ligamos o aquecedor; assim as crianças não sofrem com a baixa temperatura; o rádio noticia que o mau tempo é devido à frente fria e às mudanças provenientes do Atlântico: talvez por isso você tenha feito um mau voo! Que o Senhor o acompanhe e o proteja sempre neste e nos demais voos que ainda fizer! Nada mais posso fazer senão rezar e confiar na Divina Providência.

Tchau, meu querido maridinho; beijos com todo carinho de seus queridos filhos.

Beijos com muito amor de sua

Gianna

Zita e Cecco[7] mandam-lhe saudações
e lembranças carinhosas.

2

29 de abril de 1959
quarta-feira, 14h

Meu querido Pietro,

acho que já está em Nova York; ainda não recebi o seu telegrama. As crianças estão dormindo, depois de terem comido com apetite a papinha preparada com muito carinho por Liberata[8]. Hoje também está chovendo, por isso estão um tanto amolantes, porque não podem brincar correndo no jardim; estão bem, apesar de Magenta e Ponte Nuovo estarem passando por uma epidemia de varicela e sarampo.

Esperamos que não atinjam ninguém. Hoje, Nando vai de novo a San Remo, porque Rita[9] está com febre e receia que seja o

---

[7] Por ocasião da longa viagem do marido, a beata tinha voltado a morar na casa paterna de Magenta, com a irmã Zita e o irmão Francesco, que, de fato, mandam suas saudações ao marido.

[8] Liberata Villa foi, por mais de 50 anos, empregada doméstica na casa dos Beretta.

[9] Rita, terceira filha do doutor Ferdinando e da senhora Laura Viola.

sarampo em incubação. Emprestei-lhe seu Fiat 1100, porque carro nenhum está bom e, além disso, o Fiat 1400 dos sócios está quebrado. Amanhã cedo, às 7h, Crotti[10] levará Savina[11] a Milão; ela me pediu e me incomodaria se lhe dissesse não; voltará por volta de 15 de maio. Como sabe, Adelaide parte amanhã para Lourdes. Pena que chove, e as celebrações em Lourdes com chuva perdem boa parte de seu colorido. Mamãe vai bem e lembra-se de você e o saúda com carinho.

Mais nenhuma novidade.

Lembramo-nos sempre de você com muito carinho. Pierluigi sempre reza a Ave-Maria por seu papai e termina assim: "papai, volte logo".

Mariolina ergue as mãozinhas juntas e manda beijos para a Mãezinha do céu. Que riquezas! Tchau, meu caríssimo Pietro. Diga-me como está. Não se preocupe conosco.

Beijos com todo amor. Sua

Gianna

3

30 de abril de 1959
quinta-feira à tarde

Meu caríssimo Pietro,
recebi esta manhã sua carta de segunda-feira, escrita sempre "no céu", como diz o nosso Gigetto. Conseguiu finalmente dormir bem? Fiquei muito feliz por saber que segunda-feira você acordou com o sol alto[12]. Aqui, ao contrário, ficamos sabendo pelo rádio que você havia passado por uma tempestade de chuva e vento e, enquanto não soubemos pela TWA que a aeronave havia chegado a Boston, ficamos todos preocupados[13]. Gigetto está todo

---

[10] Adolfo Crotti era o motorista de Pietro.

[11] Savina Passeri foi empregada doméstica de Gianna.

[12] O marido escrevera-lhe: "Voo tranquilo e um sono repousante a noite toda".

[13] Cf. a primeira carta deste capítulo.

feliz por ter recebido a carta do papai e cuidadosamente a guardou na gaveta junto com o cartão-postal do avião.

Está sempre muito esperto, como também Mariolina. Esta noite não dormiram; tinham medo do vento e do temporal: trovões, água torrencial, vento, parecia o fim do mundo.

Também hoje não pudemos sair porque o mau tempo continua; paciência.

Ontem à noite e hoje tive um pouco de trabalho, pois substituí Nando[14]. Agora, porém, voltou com Rita, infelizmente com sarampo. Isolamento, como é normal, das nossas crianças e esperamos... o melhor.

Meu querido Pietro, penso em você com muito, muito amor sempre, dia e noite, porque o amo muito; você sabe.

Gostaríamos de estar sempre juntos e abraçados, mas... ofereçamos ao Senhor esse sacrifício, para que olhe por nossa querida e bela família e a ajude[15].

Ainda ontem, no consultório, um representante de laboratório, observando as fotos de nossos tesouros, ficou admirado e não terminava nunca de dar-me parabéns, perguntando-me qual o meu segredo para fazê-los crescer tão bonitos assim.

Nenhum segredo, disse-lhe eu. Deus no-los deu sadios e esperamos que continuem sempre assim; não é verdade, paizinho de ouro?

Tchau, papai, mil beijos do seu Gigetto e da sua menina querida[16].

Pierluigi não me deixava sossegada; queria escrever ao papai.

Até a próxima, belo Pedrin; passe bem e não trabalhe demais.

Muitas saudações de Zita, Cecco e Liberata, e beijos muito amorosos de sua

Gianna

---

[14] O doutor Ferdinando era médico originário de Magenta. Foi também ele, entre outros, quem ajudou Gianna no começo da carreira.

[15] A fé dá os olhos para vermos os dons de Deus.

[16] Escrito por Gigi e Mariolina.

4

1º de maio de 1959
sexta-feira à tarde

Meu queridíssimo Pietro,
uma muito amorosa saudação, ainda que a correspondência não siga hoje, porque é o dia do trabalho.

Enfim, o sol apareceu; as crianças estão no jardim divertindo-se, correndo sobre a grama no vinhedo.

Esta manhã dei uma chegada a Mesero, na ambulância, e levei Gigetto, Mariolina e Zita comigo; assim a vovó[17] pôde distrair-se um pouco. Estavam também Flavio e Gianfranco[18] de férias até segunda-feira na casa da avó, porque Adelaide está em Lourdes.

Continuo sempre à espera de uma carta sua de Nova York. Até agora só sei que chegou são e salvo a Boston. Lembramo-nos sempre de você, Pedrin de ouro, e gostaríamos que já fosse o fim do mês para ir buscá-lo em Malpensa. Os dias sem você me parecem muito mais compridos e demorados a passar. Mas não se preocupe, porque estou bem. Vê-se que o Senhor escuta realmente as suas orações. Também os nossos tesouros neste momento gozam de ótima saúde[19]. Pierluigi dormiu de ontem às 21h até hoje de manhã às 8h30min; Mariolina, ao contrário, às 5h30min já estava acordada e queria brincar de qualquer maneira.

Caro Pedrin, um grande beijo dos seus tesouros e um abraço muito afetuoso da sua

Gianna

---

[17] Refere-se à avó paterna, à senhora Maria Salmoiraghi.

[18] São os filhos de Adelaide. Gigetto e Mariolina puderam, assim, estudar com seus primos.

[19] Pietro escreveu: "Antes de deitar-me, direi a Jesus, à Mãe do céu e ao nosso anjo da guarda: "abençoai Gianna e fazei com que eu saiba fazê-la sempre feliz. Abençoai a criaturinha que esperamos com tanto amor e ansiedade. Abençoai, guardai Pierluigi e Mariolina, protegei--os de todo mal e de todas as doenças" (Carta de 27 de abril de 1959).

2 de maio
sábado

Meu muito amado Pietro[20],
recebi hoje de manhã o seu telegrama de Nova York: *Deo gratias* e obrigada a você por tê-lo me enviado.
As crianças vão sempre bem. E você? Ainda está com tosse? E os dentes? Gigi sempre reza para que passem os incômodos do papai.
Papai, até breve! Volte logo[21]!
Satisfeito com sua obra-prima, agora me deixa sossegada. É sempre um traquinas, mas está sempre bem; ao contrário, estão nascendo os pré-molares da menina. Anda um pouco aborrecida, dorme pouco; mas isso também vai passar.
Esta manhã, mamãe e Gina[22] tiveram de ir a Milão para buscar Teresina[23]. Porque suspeitam de estar com a coqueluche, mandaram-na para casa. São as inconveniências das colônias de férias: duas infecções em pouco tempo! Saímos o mais depressa possível de Mesero. Nem lhe digo como é difícil convencer as crianças de que não podem ficar juntas!
Tchau, papai de ouro. Um beijo de seus belíssimos tesouros e um grande, muito grande, da sua afeiçoadíssima

Gianna

---

[20] Trata-se de um post-scriptum à carta do dia anterior que não pudera ser enviada por causa das comemorações do dia 1º de maio. Junto ao telegrama, a beata dava notícia nesse escrito anexo.

[21] É uma saudação de Pierluigi, o menino mais velho que, é evidente, estava aprendendo a escrever.

[22] Gina Gallo Garavaglia era secretária da beata, no consultório médico.

[23] Teresina, filha de Rosa, era sobrinha de Pietro.

5

4 de maio de 1959
segunda-feira

Queridíssimo Pietro,
acabo de receber sua carta de Boston do dia 28 à noite. Grata pelas boas notícias que me dá. Nós continuamos sempre bem. Aqui o tempo, enfim, também está firme e as crianças podem ficar no jardim, aproveitando o ar e o sol. Hoje de manhã, recebi do Banco Bellinzaghi a remessa de 200 ações da Sade, com o formulário de devolução assinado e, além disso, mais um bilhete do mesmo Banco, no qual estava escrito: Opções Pirelli & Cia.
Como era necessário responder até o dia 10 de maio, resolvi eu mesma responder[24].
Descobri que, para chegarem à Itália, as cartas levam 8 dias. Esperava que chegassem com mais rapidez. Paciência! O oceano está no meio! Mamãe e os seus estão todos muito bem. Teresina[25] está melhor e já não tem febre. Não trabalhe demais, Pedrin de ouro, e continue feliz.
Muitos beijos dos seus tesouros e um forte abraço da sua

Gianna

6

5 de maio de 1959
terça-feira

Meu querido Pietro,
Pierluigi e Mariolina receberam o seu cartão-postal de Boston do dia 29 de abril. Gigetto, como sempre, mostrou-o a todos, expli-

---

[24] Interrogada sobre a caridade de Gianna, Cicci Carones, sua colega de infância, deu o seguinte testemunho: "A família Beretta era conhecida por sua riqueza. Todavia, a Serva de Deus demonstrou possuir o espírito evangélico do desprendimento dos bens terrenos" (*Posizione sulle virtù*, p. 259). Um exemplo de que a prudência na gestão do patrimônio familiar e a caridade não devem ser necessariamente separadas.

[25] É a sobrinha de quem já se falou na carta anterior.

cando que "lá em cima, bem em cima, no alto, naquela casa, papai dormia". Hoje, por volta das 5h, durante o cochilo, percebeu passar um avião e me chamou: "Mamãe, está passando o avião de papai"; depois tornou a dormir até às 8h30min. A cada momento quer o seu papai, e se lhe digo que o papai está longe e que não pode vir, responde-me num ímpeto: "Que tome o avião e volte para casa".

Tão pequeno e já raciocina dessa maneira! Estão todos bastante bem mesmo, comem normalmente e estão com uma cor muito boa.

Estou ansiosa por saber como você está, se ainda tem tosse, se sofre por causa do calor.

Aqui, nada de novo. Adelaide voltou[26], mas ainda não a vi. Mamãe e Rosetta[27] também estão bem e o saúdam muito, muito.

Muitos beijos dos seus tesouros e de sua

Gianna

Recebi hoje a sua comprida e tão carinhosa carta de quarta-feira e a carta endereçada ao seu caríssimo Gigetto. Agradecimentos sem-fim. Você nem pode imaginar quanto me encheram de alegria e alívio as suas doces palavras. Como já lhe disse noutra ocasião, a sua fé e a sua piedade são para mim um grande exemplo[28]: gostaria de saber rezar como você, querido Pietro.

Aconselho-o: continue alegre, entendeu? Imagine estarmos com você a cada instante do dia e a distância lhe parecerá menos pesada.

Beijos com todo amor, com os seus belíssimos anjinhos. Sua

Gianna

Saudações de Cecco, de Zita e de Savina.

---

[26] Adelaide, irmã de Pietro, foi em peregrinação a Lourdes.

[27] Trata-se da mãe e de uma outra irmã de Pietro.

[28] Parece-me importante destacar o auxílio recíproco que os cônjuges possam dar-se tanto na vida cotidiana quanto na espiritual. É um sustentáculo importante e um dos frutos mais significativos do sacramento do matrimônio.

7

6 de maio de 1959
quarta-feira

Pietro, meu tesouro,
hoje estou muito feliz, porque recebi as notícias detalhadas de Nova York, de 2 de maio. Agradeço ao Senhor que fez com que você fizesse uma boa viagem, sem que sofresse com os ventos contrários. Imagino o seu sofrimento ao ver os pequenos poliomielíticos[29]. Que o Senhor mande para longe de nossos tesouros essa doença horrível! Muito me alegra que todo o seu trabalho seja coroado de ótimos resultados e que todas as pessoas lhe façam um cordialíssimo acolhimento. Assim lhe parecerá menos duro estar longe de nós; é verdade que todos admiram as nossas crianças? Como estou feliz! São muito bonitas e muito simpáticas. Também aqui em Magenta, quando saio com elas, param para admirá-las e eu faço tudo para agradecer ao Senhor. Hoje de manhã fui a Ponte Nuovo, para lavar a roupa na Bendix[30], e vi Adelaide, toda santa e entusiasta pelos dias que passou em Lourdes; perguntou-me se tínhamos recebido o pacote registrado por você[31], mas lhe disse que não; será que o retiveram na alfândega?

Vi o senhor Dotto, que, fiel à incumbência, faz a sua ronda pelo jardim para verificar plantas e flores[32].

As Irmãs canossianas sempre rezam por você e o saúdam; assim também a Irmã Virginia[33], vinda esta manhã a Ponte Nuovo para visitar as crianças da creche, também lhe manda saudações e

---

[29] Na carta de 2 de maio, o engenheiro lembrava-se de ter feito a viagem junto a um grupo de crianças poliomielíticas que voltavam de Lourdes.

[30] De Magenta, onde morava com os irmãos, a beata havia ido à sua casa para lavar a roupa na máquina e dar uma olhada na casa.

[31] A fim de diminuir o sofrimento da mulher e dos filhos pela distância, Pietro tinha pensado em enviar uma fita gravada.

[32] Trata-se do jardim ao redor da pequena casa de campo de Pietro e Gianna, do qual o geômetra Aldo Dotto, amigo da família, cuidava, na ausência dos moradores.

[33] Provavelmente as duas irmãs tenham-se encontrado junto à Irmã tão querida por elas.

reza por você. Hoje à tarde será o enterro do pai de Angela Chiolerio[34]; morreu de repente ontem à noite, enquanto estava escrevendo no seu escritório.

É um descanso para a família, mas também um sofrimento, porque morreu sem que ninguém se desse conta e sem os sacramentos.

Agora vou ao consultório da creche. Beijos com muito, muito amor. Já se foram 10 dias!

Passe bem e não se desgaste muito no trabalho.
Beijos das suas crianças.
Sua afeiçoadíssima

Gianna

Saudações afetuosas de Cecco e de Zita.

8

8 de maio de 1959
sexta-feira

Meu queridíssimo Pietro,
    recebi sua extensa carta de Nova York, expedida segunda-feira, 4 de maio. Sou infinitamente agradecida porque, embora cansado do trabalho e sofrendo por causa do calor, você ainda tem tempo para manter-me todos os dias a par de tudo que faz. Sempre pensamos em você, Pedrin de ouro, e nem pode imaginar como estou feliz ao ler sua carta. E que hotel está hospedado! Gigetto disse olhando para o cartão-postal que você está "no alto, no alto, quase no céu"[35]. Preocupo-me com você por causa do calor daí; ontem, aqui também foi um dia sufocante. Hoje, ao contrário, corre uma brisa suave e já está melhor. Os nossos tesouros vão bem, usufruem do sol no vinhedo, pode-se dizer que o dia todo.

---

[34] A senhorita Angela Chiolerio foi amiga da beata. O pai chamava-se Carlo.

[35] Trata-se, é evidente, de um arranha-céu que desperta a admiração ingênua do menino.

Angela[36] é mesmo bastante cuidadosa e enérgica: sabe fazê-los brincar e cuida deles muito bem. Oxalá Savina fosse assim! Quero dizer que tivesse um pouco mais de instrução e paciência[37].

Ontem de manhã levei as crianças ao cemitério de Mesero, ao túmulo do avô e da tia Teresina[38]; rezaram de mãozinhas postas por você, para que tudo corra bem. O Senhor não pode deixar de escutar estes nossos anjinhos, Pedrin de ouro. À tarde, Cecco levou-nos para Lugano[39]. Que doces recordações! Voltei às margens do lago, onde você tirou a minha primeira fotografia, no hotel Felix. Desejei tê-lo junto de mim, para abraçá-lo, beijá-lo com todo o amor, e agradecer-lhe o grande carinho que me tem e todas as alegrias que me tem proporcionado nestes três anos.

As crianças merendaram e estão divertindo-se no parque de Lugano, onde há carrosséis e balanços; com sua grande alegria de sempre, divertiram-se, atirando pedrinhas ao lago.

Adelaide acaba de telefonar-me para dizer que chegou a fita[40] gravada por você. Nós a esperamos ontem em Milão.

Esta manhã tive de chamar Roveda, porque o interruptor da Bendix[41] queimou. Quando for a Milão, lembre-se de trazer outro. Vi a casa onde está o seu grupo de trabalho: terminada, ficou boa, não parece mais aquela de antes. O refeitório dos operários foi completamente derrubado. Gigetto, vendo isso, disse: "mamãe, a Saffa desmoronou; é preciso escrever ao papai": são as palavras dele!

---

[36] Angela Chiolerio, amiga de Gianna.

[37] Vale, todavia, lembrar que a senhora Passeri permaneceu muito tempo no emprego e deixou um valioso testemunho por ocasião do processo. A divergência referia-se provavelmente à educação dos filhos, que a beata entendia construir na fé, enquanto Savina, ao contrário, recorria a métodos mais rápidos.

[38] O avô paterno Luigi morreu em 1956, a tia Teresina, em 1950.

[39] Lugano dista de Milão mais ou menos 70 quilômetros. A cidadezinha suíça foi uma das primeiras excursões de Gianna e Pietro no começo de 1955, logo depois de seu encontro.

[40] Trata-se da fita gravada da qual se fala na carta anterior.

[41] Era a máquina de lavar de que se fala também na carta anterior.

A senhora Valle[42] escreveu-me perguntando se poderíamos dizer-lhe quando pensamos chegar a "Pinto", para que possa providenciar em tempo os reparos que pretende realizar.

Hoje mesmo lhe responderei.

Tchau, meu tesouro; passe bem; as suas crianças mandam-lhe os seus carinhosíssimos beijos. Com todo amor, abraços e beijos. Sua

Gianna

9

10 de maio de 1959
domingo, 22h

Meu queridíssimo Pietro,
acho que está sempre bem e em pleno trabalho aqui e ali; pena que faz calor; hoje aqui, ao contrário, o tempo estava encoberto, choveu sem parar. O Padre Giuseppe[43] está conosco; veio para distrair-se um pouco com os nossos anjinhos. Celebrou a santa missa em Ponte Nuovo, como de costume, e deu uma bênção especial com água benta[44] às nossas crianças e aos nossos sobrinhos, que também vieram para a santa missa do tio. Mariolina fica irrequieta quando está na igreja; Pierluigi, ao contrário, ficou apenas cinco minutos. O Padre Giuseppe levou-o para Turbigo[45], à costumeira praia, enquanto fiquei em casa, tranquila, preparando as blusas de frio para Alberto ou para Emanuela[46]. A propósito, você já pensou que nome dar à menina?

---

[42] A senhora Valle era a proprietária da casa de Courmayeur, onde a família Molla passava as férias de verão. Cf. as cartas do capítulo anterior.

[43] Trata-se do irmão Giuseppe, sacerdote da diocese de Bérgamo.

[44] A beata refere-se à água benta com a qual o sacerdote aspergira os presentes.

[45] Turbigo, região do sul do Ticino, entre Milão e Novara.

[46] Como sabemos, a beata esperava o terceiro filho. Nasceu uma menina a quem foi dado o nome de Laura.

As crianças estão dormindo: Pierluigi repousa tranquilo desde às 19h; acordei-o para dar-lhe comida, mas não a quis, assim dormirá ainda melhor até amanhã de manhã.

Agora vou eu também descansar; na televisão, nada de interessante: só programas repetidos!

Tchau, tesouro, beijos das suas crianças e da sua afeiçoadíssima mulherzinha

Gianna

10

11 de maio de 1959
segunda-feira

Meu queridíssimo Pietro,
hoje, grande festa; recebi sua carta de quinta-feira, 7 de maio, o cartão-postal com a catedral, estilo Duomo de Milão, e o de Pierluigi, com a ponte comprida. Como percebeu que não tinha nenhuma pedrinha para atirar à água, pegou uma pedra no jardim e a colocou sobre o cartão-postal!

Agradecimentos sem conta pelas boas notícias que me dá. Fico triste porque, escrevendo para mim, deverá ir para a cama ainda mais tarde. E de manhã, pode ficar um pouco mais na cama ou deve levantar-se logo? Estou feliz porque não mais está com tosse e os dentes pararam de doer. Pietro de ouro, queria que não sofresse jamais por nada, ou melhor, desejaria estar junto de você quando não está bem![47] Obrigada por ter escutado os meus conselhos de não exagerar no trabalho.

Chegou do banco a confirmação pela aquisição das 200 ações de Sade. Por ora, nada mais a dizer.

---

[47] A atenção recíproca pelos sofrimentos um do outro é bonita. Escrevia Pietro: "E suas azias estomacais? E a sua dor de cabeça? Escondeu-me com toda certeza, minha queridíssima mulherzinha e incomparável mãezinha!"

Agora pergunto: quando é que você pretende voltar? É verdade que a carta chega dentro de três dias, mas hoje já é dia 11.

"Papai, puxa", diz Mariolina.

"Papai, volte amanhã", diz Gigetto; e assim passarão também "todas as manhãs" do seu Gigetto e chegará o verdadeiro "amanhã", dia de grande alegria, para que possamos, enfim, abraçar-nos.

Tchau, querido tesouro: beijo sempre as crianças, inclusive por você. Passe muito, muito bem.

Um abraço muito afetuoso. Sua

Gianna

Zita e Cecco retribuem as cordialíssimas saudações.

11

12 de maio de 1959
terça-feira

Meu queridíssimo Pietro,
envio-lhe as três fotos coloridas da nossa magnífica Mariolina, esperando que cheguem até você não muito amassadas.

As crianças continuam sempre bem; Gigetto brinca o dia todo e à noite, às 8h, não aguenta mais e dorme sem que se perceba até às 8h da manhã, num sono só. Gostaria que visse que homenzinho, quando tem de colocar o supositório por causa da tosse ou fazer-lhe o clister. Há alguns dias não precisou, mas agora lhe faço o clister, e não diz uma só palavra; é boníssimo.

Aqui hoje faz calor. E aí?

A acidez estomacal não me dá sossego, enquanto a dor de cabeça aparece apenas algumas vezes[48]. Mas tudo passará; daqui a dois meses, talvez, nascerá o nenê!

---

[48] A beata minimiza a existência de seus distúrbios que, de resto, eram bem conhecidos.

Tenho aqui as fotos dos seus primos, que envio separadas noutro envelope.

Passe bem, Pedrin de ouro, e até a próxima.

Beijos grandes, muito grandes e muitos e muitos também das crianças. Sua

Gianna

12

13 de maio de 1959
quarta-feira

Meu muito querido Pietro,

as últimas notícias suas são do dia 8; sempre no trabalho, cansado, à noite, encontrou tempo para escrever-me: sou infinitamente agradecida.

Pelo jornal de hoje, sabe-se que dois aviões caíram nos Estados Unidos: um em Nova York-Atlanta, perto de Baltimore; o outro, enquanto aterrissava, no aeroporto de Kanwha (Virgínia); ambos quadrimotores da "Capital Airlines". Meu querido Pietro, nem pode imaginar como o meu pensamento está sempre em você, nas suas viagens, e como desejo que chegue logo o dia em que não mais terá de voar. Está bem que é o trinômio de Gigetto que repete sempre que reza: "Jesus, faça que meu papai tenha *uma boa viagem*; papai, *volte logo*; papai, *não caia*!" Mas... distância é sempre distância.

Ontem à noite, na TV, Padre Mariano[49], falando do verdadeiro amor do matrimônio, dizia que "o verdadeiro amor não é o amor que dura um único dia, mas o amor que dura sempre" e que os dois esposos que sempre se amam, quando estiverem no Paraíso, perceberão que o tempo em que se amaram foi curto e se

---

[49] O capuchinho Padre Mariano de Torino (1920-1972) foi um famoso pregador de televisão por muitos considerado um santo religioso.

alegrarão ao saber que têm toda a eternidade diante deles, para continuarem a se amar[50].
Pedrin de ouro, você sabe quanto o amo; o meu pensamento está em você e desejo que seja feliz.
Volte logo e receba muitos e muitos beijos de seus tesouros. Um abraço afetuosíssimo da sua
Gianna

13

14 de maio de 1959
quinta-feira

Meu queridíssimo Pietro,
só hoje recebo suas notícias dos dias 10 e 11 de maio. Agradeço infinitamente. Pierluigi, muito atento, escutou a leitura da sua carta até o fim e, como me via comovida, dizia-me: "Mamãe, não chore mais, papai chega logo". Ontem, enquanto o fazia dormir: "Mamãe bela (quem lhe ensinou, não sei precisamente), eu sou o seu passarinho". Fica cada dia mais homenzinho, faz cada raciocínio!
Preocupa-me que faça tanto calor e que, para fazer-me feliz, tenha de cansar-se para viajar horas e horas de trem. Paciência, Pedrin de ouro, mas estou mais tranquila por saber que não está no "céu". Você é mesmo um papai de ouro. É quase certo que Pierluigi, quando for maior, há de ler suas magníficas cartinhas. Papai reza muito por sua bela familiazinha. Obrigada pelas doces palavras para a mãezinha. Farei tudo para ser sempre assim, como você me deseja e me vê[51].

---

[50] O comentário mais bonito a respeito havia sido escrito pela própria Gianna em uma das suas conferências para jovens da Ação católica: "Não se pode entrar no caminho do matrimônio se não se souber amar. Amar quer dizer desejar aperfeiçoar-se a si mesmo e a pessoa amada, superar o próprio egoísmo. O amor deve ser total, pleno, completo, orientado pela lei de Deus, e deve imortalizar-se no céu".

[51] Na correspondência de Gianna e Pietro é frequente a alusão à concepção da mulher contida na famosa perícope de Pr 31,10-12. Então como agora, o texto era lido frequentemente na liturgia da missa.

Meu caro Pietro, continuamos sempre na expectativa de que você marque o dia e a hora que devemos esperá-lo em Malpensa. E depois... não o deixaremos mais partir!

Fique tranquilo; nós estamos todos bastante bem. Cecco e Zita, sempre muito preocupados, estão muito felizes por ter-nos aqui com eles[52]. Agradecemo-lhe as saudações e as retribuímos de coração.

Mamãe vai bem e manda-lhe muitas saudações. Vai ao cemitério não sei quantas vezes para rezar por você, pelo seu Pietro. Teresina está melhor, raramente tosse; Adelaide e família também vão bem. Eu a vi ontem e me entregou bombons e uma toalhinha de centro, presentes de Padre Felix[53]. Agora responderá à senhorita Maria, agradecendo-lhe.

As Irmãs estão felizes com seu piano: é maior, tem uma oitava a mais e um som doce.

Os trabalhos do novo grupo continuam rápidos: Pierluigi não queria ir embora; gosta muito de ficar observando o guindaste mover-se para cima e para baixo. Disse que, quando for grande, será engenheiro como o papai.

Mariolina, "a bela criança", é uma senhorita, não está mais doente e dá belas risadas... dança fazendo trejeitos e algumas peraltices.

Tchau, meu muito amado Pietro, passe bem. E até breve.
Se estiver cansado, não escreva todos os dias.
Muitos beijos das suas crianças e da sua afeiçoadíssima

Gianna

---

[52] Como podemos lembrar-nos, Gianna e os filhos, na ausência do marido, ficavam em Magenta, na companhia de Cecco e Zita.

[53] O Padre Felix Dominioni havia sido delegado episcopal em Ponte Nuovo de Magenta até 1951.

14

16 de maio de 1959
sábado

Meu querido Pietro,
aproveito da viagem da cunhada do engenheiro Piovesana[54] a Nova York para fazer chegar até você as mais recentes notícias. Nós vamos todos bem; as crianças, cada vez mais espertas, dão o que fazer[55], porque sempre tememos que façam alguma arte e, por isso, devemos estar sempre a segui-las por toda parte. As últimas notícias suas são de 11 de maio. Gigetto, quando chega o carteiro, corre para ver se papai "manda alguma carta" e, quando pega a carta, entrega-ma todo contente e satisfeito, porque sabe que ficarei feliz. Nem imagina como fico verdadeiramente satisfeita quando leio suas cartas cada dia mais carinhosas.

No momento, porém, espero que me diga quando pretende voltar. Aqui o tempo, com os numerosos temporais destes dias, esfriou muito.

"O trovão não vem do muro, mas do céu", uma nova expressão de seu homenzinho. "Tenho medo", diz Mariolina. Que belos tesouros! Estão numa idade em que dão muito trabalho, mas são magníficos por suas expressões inocentes.

Pierluigi está ao meu lado, enquanto lhe escrevo, sentado à mesa e faz mostrar-me todos os bonitos cartões-postais que lhe mandou.

"Tchau, papai", enquanto observa o cartão-postal com o avião, "que enfim quase retornou". Imagine a sua alegria quando tornarmos a vê-lo!

Volte logo, papai! Tchau[56].

---

[54] O engenheiro Giuseppe Piovesana, diretor central das fábricas Saffa, antes do engenheiro Molla.

[55] Vale a pena lembrar-nos de que Gianna estava no sétimo mês de gravidez, esperando Laura, que nasceria em 15 de julho daquele ano.

[56] Esta frase foi escrita com mão insegura por Pierluigi, que evidentemente começava a aprender a escrever.

E as suas viagens? Imagino como estará cansado. Na volta passa mesmo pelo Polo Norte? Tem certeza?

Tchau, Pedrin de ouro, fique bem; nós estamos sempre com você.

Beijos das suas crianças e muitos, mas muitos beijos amorosos da sua

Gianna

15
19 de maio de 1959

Meu queridíssimo Pietro,

recebi sua carta de quarta-feira 13 e de quinta-feira 14; espero que sua viagem a Bridgefort tenha corrido bem; quantos arranha-céus há em Nova York! Parece um reino de fadas, com todas aquelas pequenas luzes. Pierluigi está na expectativa da surpresa. Como sempre, estamos todos bem. Mariolina, de dois dias para cá, está um pouco "manhosa" e não quer comer, mas não tem febre. A Savina voltou, agora bastante sossegada e alegre; esperamos que continue sempre assim, até mesmo as crianças estão mais calmas e contentes com ela[57]. Aqui o tempo continua sempre bonito; por isso podem ficar no jardim quase o dia todo.

Como estou feliz de saber que os proprietários das indústrias que visitou sempre o recebem bem! Você bem o merece, porque é muito gentil e serviçal com eles, quando vêm à Itália.

Esta manhã estive em Ponte Nuovo e observei que do teto do banheiro gotejava água. O encanador encontrou a guarnição do aquecedor da banheira que havia perdido; não só, mas também

---

[57] Trata-se de Savina Passeri, empregada doméstica com a qual a beata tinha alguma controvérsia a propósito da educação dos filhos. Todavia, exatamente a senhora Passeri testemunhou: "A serva de Deus era bondosa para com o próximo: dava atenção a todos". A testemunha afirma que era bondosa também com ela: "Em 6 anos aconteceu apenas uma vez terme chamado a atenção: convenceu-me de que eu tinha errado" (*Posizione sulle virtù*, p. 212).

a resistência queimada. Agora está tudo arrumado, mas não entendo como queimou tão facilmente a resistência[58]. Vi Adelaide, ouvi sua voz de barítono no aparelho de som, e fico grata pelas saudações e beijos[59].

Domingo foi a visita do prefeito de Milão e de quase toda a Comissão administrativa municipal de Magenta à creche, às Irmãs e às escolas de Ponte Nuovo[60]. Cecco disse que ficaram bastante satisfeitos; pena, disse, não era você quem acompanhava os visitantes[61].

Continue bem, meu querido Pietro, e volte logo. Verá os progressos de Gigetto ao exprimir-se: conversa com bastante clareza e repete tudo aquilo que ouve, com vocábulos apropriados.

Com todo amor, beijos e abraços meus e dos nossos tesouros. Sua afeiçoadíssima

Gianna

16

20 de maio de 1959
quarta-feira

Meu caríssimo Pietro,
obrigada, obrigada, em meu nome e em nome de seus filhos, pela magnífica surpresa[62].

Imagine a alegria de Pierluigi por ter duas fitas "com sua voz". Hoje não quis escutar ninguém além de suas fitas. Mariolina,

---

[58] Como se pode ver, a beata era uma pessoa muito atenciosa e prática.

[59] Adelaide é a irmã de Pietro, à qual enviou uma fita gravada.

[60] Gianna era particularmente interessada pelo evento, pois já há alguns anos prestava gratuitamente serviços de médico residente às crianças da escola maternal dirigida pelas queridas Irmãs canossianas.

[61] O engenheiro Molla era o encarregado, porque a igreja e as construções anexas eram de propriedade da Saffa.

[62] Como se vê pela leitura da carta, trata-se de duas fitas cassetes gravadas com as saudações de Pietro para as crianças e Gianna.

109

quando ouviu: "um beijo para Mariolina"... disse: "Papai, papai": reconheceu sua voz e, com sua linda boquinha, mandou-lhe muitos e muitos beijinhos. São realmente dois tesouros! E a sua boa e querida mulherzinha, como não se comover ao ouvir as palavras afetuosas através de sua própria voz?! Obrigada, Pedrin de ouro, quanta alegria e alívio[63] saber que você pensa em mim e me ama tanto!

quinta-feira à tarde

Meu queridíssimo Pietro,
recebi esta manhã a sua extensa carta de sábado, dia 16; são todas boas notícias, graças a Deus.
Uma carta magnífica e carinhosa; quantas orações por sua família[64]! Sempre tive tempo de ouvir e seguir a santa missa. Infelizmente já não posso mover-me: esta manhã, às 5h, Mariolina já estava acordada e, às 6h, tive de levantar-me, vesti-la e levá-la para a sala para brincar; mas com uma vozinha estridente acordou Pierluigi. Gigetto, ao contrário, não dormindo à tarde, dorme até às 8h30min.
Esperava mesmo que me dissesse que antes do fim do mês voltaria... mas ainda não sabe. Paciência, há ainda muitos voos a fazer? Vai a São Francisco?
Chegou também a sua carta de domingo: fiquei muito contente ao ler que se hospedou na casa de uma família cortês que muito admirou os nossos tesouros[65].

---

[63] Referência velada à acidez estomacal e a outros distúrbios de que a beata sofria durante a terceira gravidez.

[64] Pietro escrevera: "Esta manhã ajudei o padre no altar durante uma missa do Santíssimo Sacramento, na catedral de Nova York. Esta noite, às 21h30min, rezei o rosário diante do altar da Senhora da Conceição Imaculada de Nova York... Embora esteja tão longe, sinto que (o nosso amor) aumenta cada vez mais e percebo também que é maior o dever e a necessidade de agradecer ao bom Deus de manhã e à noite".

[65] Domingo, 17 de maio, Pietro visitou a casa de campo do advogado Green, que mantinha relações de trabalho com a Saffa.

Assim pôde passar um domingo em boa companhia.
Nós estamos sempre todos bem. Também a sua mãe vai bem e, sempre que a vejo, pede-me que o saúde muito, muito. Cecco agradece-lhe os selos e o saúda, Zita também.
Querido papai, obrigado pelas fitas[66].
Este desenho significa muitos beijos. Queria escrever-lhe ele mesmo.
Quando chegam as suas cartas, é Gigetto quem as pega; não posso lê-las tranquila, porque ele mesmo quer ler e, muito sério, lê "muitos beijos para Gigi. Papai está sempre longe etc". Está, porém, na hora de voltar... Não lhe parece?
Tchau, Pedrin de ouro, fique bem; beijos com todo amor. Obrigada por tudo. Sua

Gianna

17

22 de maio de 1959
sexta-feira

Meu querido Pietro,
tenho aqui o seu bilhete de segunda-feira, dia 18, às 23h30min; imagino como estará cansado e terá de partir de imediato, terça-feira pela manhã! Espero receber uma carta sua na qual diga: "finalmente, terminei o meu trabalho, estarei com vocês dia... às..." Infelizmente não o sabe ainda. Só faz 26 dias que estamos distantes e me parecem muitos meses. Gigetto também diz sempre: "papai não mais chega, está sempre longe", e pensar... que sempre deve fazer voos tão longos[67].

---

[66] Escrito, como em outras ocasiões, por Pierluigi.

[67] Na carta de sábado, 16 de maio, Pietro escreveu-lhe: "Na próxima semana, suponho poder comunicar-lhe, senão o dia exato, pelo menos a semana precisa do nosso encontro. Além de apressar ao máximo, mais 5 dias só de trabalho na semana e os frequentes e longos deslocamentos de uma cidade para outra fazem passar rapidamente as semanas".

Nós, por ora, estamos sempre aqui com Zita; amanhã cedo deverei ficar em Ponte Nuovo, porque mandei restaurar os colchões das caminhas e os de nossa cama.

O exame bastante minucioso de dois encarregados ingleses durou três dias nos Laminados: já correm mil boatos; disse Zita que, por ora, a única novidade é que o advogado Zaninoni não mais atende pelo título de advogado, mas pelo de "Senhor Zaninoni"[68]. O engenheiro Notari[69] perguntou-me quando você voltaria; não sei por quê.

Após uma boa verificação das escolas, o engenheiro Denotti[70] preparou alguma surpresa, assim disse Cecco; deve ter-lhe perguntado diretamente, antes que Cecco lhe escrevesse. Aqui fervem os preparativos para o mês de junho magentino[71]. Quase todas as casas estão sendo reformadas... Não lhe revelo as cores... A cor predominante é o amarelo mais ou menos escuro.

A fachada da igreja está pronta; além da reforma externa, foi trocado todo o piso velho. Está de fato bonita e imponente. O Bispo[72], satisfeitíssimo, é visto frequentemente a contemplá-la.

Recebi nestes dias diversas cartas do Banco Bellinzaghi para a opção das ações Pirelli; não há vencimento, por isso penso dar tempo para que você responda à sua volta; eu, para dizer a verdade, pouco entendo.

Hoje Gigetto está contente: chegou finalmente a fita "Tutte le mamme". Sempre foi apaixonado pela música. Ah! Se não escuta as suas fitas[73]! Ele aprendeu bem as suas palavras e as repete antes mesmo que você as fale.

Os dois estão bem: sarampo, nem sombra. *Deo gratias*.

---

[68] Zaninoni, diretor-geral da Laminados Plásticos.

[69] Notari, dirigente da Saffa.

[70] Paulo Denotti, dirigente do Reparto Mobili da fábrica Saffa.

[71] Junho magentino, em recordação da batalha de Magenta (junho de 1859).

[72] Trata-se do Dom Luigi Crespi, pároco de Magenta.

[73] Nesses anos, iniciou-se a grande difusão da música ligeira na Itália.

Teresina também está curada, mas Luigino[74] está doente, com a coqueluche.
Mamãe está bem, sempre me pede notícias suas.
Na esperança de vê-lo logo, com muito, muito amor, beijos e abraços, com os seus tesouros.
Sua afeiçoadíssima
                                                            Gianna

18
24 de maio de 1959
domingo

Meu amadíssimo Pietro,
são 15h; os nossos anjinhos foram com os tios, Angela e Savina a Legnano[75], convidados pelos senhores Viola, para assistirem à festa do *Carroccio**, com o desfile de carros. Preferi ficar tranquilamente em casa; hoje iniciou o nono mês, e facilmente me canso. Assim, sozinha, com alegria e muita emoção, li e reli as suas amorosíssimas cartas que me mandou com tanto zelo todos os dias dos Estados Unidos da América. Estou na sua doce e querida companhia, hoje mais animada..., mas ontem, não devo negar, estava um pouco deprimida. Desejava-o perto de mim, sentia muita saudade de você e havia mesmo decidido escrever-lhe para que voltasse logo. Depois, ao contrário... esqueci-me. Mas hoje lhe digo: "volte o mais rápido possível, Pedrin de ouro, assim que puder"[76].

---

[74] São os sobrinhos do engenheiro, os filhos de Rosetta.

[75] Município da província de Milão, dezesseis quilômetros ao norte de Magenta. No dia 29 de maio de 1176, deu-se a batalha entre o imperador Federico Barba Roxa e os municípios da Liga lombarda aliados a Milão. O desfile dos carros todo ano faz lembrar a vitória dos municípios.

* N.E. A festa do *Carroccio*, ou seja, a festa do grande carro de quatro rodas puxado por bois, levando as insígnias do município, um altar e um sino, que antigamente era levado aos campos de batalha para encorajar os combatentes.

[76] Um fragmento de carta particularmente comovente. Podem ler-se em rápida seqüência a assustadora expectativa pela maternidade já iminente, o sofrimento pela distância do marido, a alegria pelo amor documentado nas cartas, o sossego da solidão, a serenidade que vem da fé e da oração.

Ontem à noite Gigetto, antes de dormir, disse-me: "Mamãe, quero ver papai". "Está sempre longe, não volta mais!"; e para que dormisse, tive de dizer-lhe: "volta amanhã". Que tesouro! Ama-o muito e sente a sua falta... "O papai deve consertar a minha carriolinha vermelha... o meu triciclo etc. Vou subir ao céu, assim vejo papai!" E assim, uma palavra após a outra, como se já fosse um adulto. Mariolina, sempre muito esperta, faz tudo que Gigetto faz e muitas vezes acabam os dois brigando. Estão muito bem e, graças às suas preces, nenhum "infortúnio"[77].

A minha prima Piera[78] deu à luz uma menina, "Simonetta"; porém, ainda está na clínica, porque teve de fazer uma cesariana; o porquê, eu não sei. Mas está muito bem e espera voltar para casa dentro de uma semana. Mas que pensamento... confio em Nossa Senhora e estou certa de que me ajudará agora também. Muitas são as preces do meu caríssimo e amadíssimo Pietro. Obrigada por tudo, Pedrin de ouro: pelo seu grande amor por mim e pelos nossos tesouros, por suas canseiras, por todo o seu trabalho com sua família, por todos os seus sacrifícios.

Espero que o tempo não esteja muito quente e que daqui a três dias, com alguma estiagem, chova e o ar fique fresco.

Para mim, tudo bem, porque o calor não me pesa muito.

Dia 2 de junho, estará aqui Dom Montini[79] para a inauguração da fachada da Basílica; as escolas estão fechadas e iniciaram-se os preparativos para a exposição.

Espero receber amanhã mesmo a notícia do dia de sua volta.

Beijos e mais beijos para você com todo amor e comigo os beijos de seus queridos tesouros.

Tchau, querido Pietro, volte logo. Sua

Gianna

---

[77] O discurso passa com naturalidade para seus filhos. O resultado é uma nova doçura que suaviza a tensão anterior.

[78] Trata-se de Piera Angela Beretta, prima da beata tanto por parte de mãe quanto de pai. Ela testemunhou: "A primeira característica na prática das virtudes cristãs por parte da Serva de Deus foi, a juízo da testemunha, o de não se fazer pesar sobre os outros. Tinha muita naturalidade e espontaneidade na prática das virtudes" (*Posizione sulle virtù*, p. 330).

[79] Trata-se de Giovanni Battista Montini, futuro Paulo VI, então arcebispo de Milão. Ele ainda era arcebispo de Milão quando da morte de Gianna e interessou-se vivamente pela heroicidade da mulher que corajosamente entregou sua vida pela vida do próximo.

19

25 de maio de 1959
segunda-feira à noite

Meu querido Pietro,
as nossas queridas crianças já dormem há três horas como dois anjinhos, cansadas de correr e fazer peraltices no vinhedo. Se você visse a vivacidade de Pierluigi e que artes apronta! É mais esperto que os priminhos; Mariolina o segue e procura fazer tudo que ele faz. Depois, como é natural, à noite estão cansados e dormem em dois minutos.

Recebi esta tarde sua carta do dia 21; não lhe escondo, Pedrin de ouro, que, à notícia de que até 10 de junho não poderá voltar, fiquei "petrificada". Chorei... depois ofereci o sacrifício ao Senhor por você, para que o proteja nas suas contínuas viagens e pelo filho que esperamos, para que nasça bonito, são, sem defeitos; e assim... fiquei mais calma[80]; dei muitos beijos em Gigetto e Mariolina, apertei-os fortemente de encontro ao coração e o senti, com eles, muito próximo de mim, como se você estivesse junto de nós.

Procure não se cansar muito, meu querido Pietro; se todos os seus dias são de trabalho intenso, como o da quarta-feira passada, estará cansado à noite e sabe-se lá como achará tempo para não me deixar jamais faltar a sua palavra afetuosíssima. Sempre lhe serei reconhecida, maridinho e paizinho de ouro[81].

Esta manhã, Pierluigi, entrando em nosso quarto em Ponte Nuovo e vendo a nossa fotografia... de noivos... gritou: "Papai, papai... papai voltou... mamãe, espera, eu vi papai..." Em suma, não sabia mais como externar a própria alegria, porque o tinha visto, apertava o quadrinho de encontro ao peito... que bom menino!

Como não se comover diante dessas manifestações de amor?!

---

[80] A fé é força para enfrentar os sacrifícios da vida e dar-lhe um significado de graça.

[81] Na carta do dia 21, Pietro tinha-lhe feito a descrição do dia de quarta-feira, dia 20, iniciado às 6h30min e terminado às 20h com a chegada em Nova York.

Voltando aos seus voos: os aviões bimotores são seguros?[82] Perdoe a minha ignorância, mas me parece que um quadrimotor suporta mais os vácuos etc. Alegro-me, porém, ao ler que foi para você uma viagem encantadora ao lado do piloto e perto do céu! Assim como estamos continuamente com você, é como se nós gostássemos de todas as coisas bonitas das quais sempre falamos.

Não acho que a morte de Foster Dulles[83] não lhe permita continuar o seu trabalho e espero que as fábricas hão de ser igualmente abertas; de outra maneira dia 10 de junho... corre o risco de tornar-se 20 de junho!

Tchau, meu querido Pietro, e fique tranquilo com relação a nós que estamos bem. Grandes e grandes beijos e muitos, muitos de seus tesouros e de sua afetuosíssima

Gianna

20

26 de maio de 1959
terça-feira

Queridíssimo Pietro,
uma saudaçãozinha muito afetuosa também hoje da sua mulherzinha e das suas crianças que, graças a Deus, estão sempre bem, embora em Ponte Nuovo o sarampo espalhe-se descontroladamente e que em Magenta apareçam a coqueluche e a escarlatina. Não os levo jamais para fora, exceto de carro; distraem-se muito bem aqui no jardim e no espaçoso vinhedo. Zita e Cecco[84] não querem que voltemos a Ponte Nuovo, porque dizem que agora as crianças se acostumaram muito bem aqui, que é um pecado levá-las embora.

---

[82] Na sua carta, Pietro tinha-se referido à sua viagem em um avião privado bimotor e tinha-lhe falado de uma "viagem encantadora no azul por entre as nuvens".

[83] John Foster Dulles (1888-1959), político norte-americano. Desempenhou um papel essencial na elaboração do plano Marshall e foi secretário de estado do presidente Eisenhower.

[84] Mais uma prova do amor que unia os irmãos Beretta, os quais, como afirma um sem--número de testemunhas, se sustentavam e se ajudavam uns aos outros.

Meu querido Pietro, esperamos que chegue logo, o mais rápido possível, 10 de junho. É grande o desejo que tenho de vê-lo e abraçá-lo! Lembro-lhe de que 14 de junho é a festa de Ponte Nuovo com a visita do Dom Pignedoli[85], santa crisma e sagrada comunhão. Estará mesmo aqui?

Mamãe continua bem, como também as suas irmãs e respectivas famílias.

Tchau, bondoso Pedrin; passe bem e não exagere no trabalho. Beijos de seus anjinhos e um abraço afetuoso da sua

Gianna

21

27 de maio de 1959
quarta-feira

Meu caríssimo Pietro,

fico muito triste por causa de sua dor de dentes. Você fez bem de extraí-los. Mas encenar a extração de um dente à americana! Se eu também tivesse de fazer assim em Mesero... imagine[86]! Esperamos agora que o deixem em paz.

Pierluigi, quando ficou sabendo que você teve de extrair um dente, disse inesperadamente ao tio, à tia, a todos...: "Papai, pobrezinho, arrancou um dente, tomou injeção e colocaram-lhe uma venda nos olhos!" Acabou agora mesmo de imitar Modugno, à mesa, com as mãos e os braços abertos, e com as pernas, que sabe movimentar tão bem quanto Modugmo[87]. Ontem à noite, mais

---

[85] Dom Sergio Pignedoli, então bispo auxiliar de Milão.

[86] Há tempos Pietro sofria de dor de dentes. Por tornar-se aguda a dor, dia 22 de maio, teve de extrair um pré-molar. Na carta da noite do dia 22, provavelmente para suavizar o fato, havia contado a intervenção do médico americano com certa ironia.

[87] Como já lembramos, iniciava-se a grande temporada da música italiana, quando os cantores gozavam de grande notoriedade e as crianças divertiam-se ao imitá-los. Naquele ano, entre outros, Domenico Modugno havia ganhado o festival de San Remo com *Volare*, uma das suas mais famosas canções.

uma novidade sua: "Mamãe, quando eu for grande, vou à escola com a Iucci e a Toia[88]; depois, quando voltar, direi: 'Olá! Mariolina, voltei!'" É um menino travesso que está sempre se mexendo. Mariolina, vendo os outros andando de bicicleta, faz tudo para andar sozinha no triciclo e tem apenas um ano e meio!

Fico entristecida porque, por causa de seu trabalho, terá de ficar quinze dias sem notícias nossas[89], pois deverá ir para Nova York; mas terminarão também essas suas andanças e depois não deverá partir de novo para outras viagens, como me disse naquela noite no concerto? Sou contra... não, brincadeira, não eu, mas a terceira criança.

Meu querido Pietro, imagino quanto você também deseja voltar para junto de nós, mas paciência! O Senhor quer este sacrifício. É muito, muito bom para conosco! Estamos todos bem, e as crianças hoje estão mais bonitas.

Amanhã, inauguração da exposição histórica[90], com a presença de autoridades de Milão. Na Laminados estão prontos os painéis pedidos por você com a história de Magenta, mas não estão colocados no lugar indicado. Nada sabemos de Noti.

Tchau, Pedrin de ouro, continue bastante bem; as suas crianças mandam-lhe muitos beijos, com suas boquinhas e mãozinhas.

Um abraço muito afetuoso da sua mulherzinha que sempre pensa em você e que o ama muito, muito.

Até breve, sua

Gianna

Zita, Cecco, Liberata, Angela, Savina, mandam-lhe afetuosas saudações.

---

[88] Trata-se de Amalia e Maria Vittoria, filhas de Ferdinando e primas de Pierluigi.

[89] Exatamente no dia 27, de fato, Pietro iniciava uma série de viagens pelos Estados Unidos da América, de Cincinnati a Chicago e à Califórnia, que o havia impedido de receber regularmente as cartas da mulher.

[90] A exposição pretendia fazer lembrar o centenário da batalha de Magenta, quando as tropas franco-sardônicas, comandadas por Napoleão, derrotaram os austríacos. Para a Itália foi uma etapa significativa com relação à unidade do país.

22

29 de maio de 1959
sexta-feira

Meu queridíssimo Pietro,
as últimas notícias suas são de sábado, 24 de maio; esperava receber hoje alguma coisa, mas acho que, não se encontrando mais em Nova York, a carta leve mais tempo. Sempre confio no Senhor e penso que você esteja bem de saúde, descansado, sem dor de cabeça e sem dor de dentes. Nós continuamos sempre bem.

Ontem, festa de Corpus Christi, levei as crianças para verem a procissão, a banda e as crianças vestidas de branco: foi uma verdadeira festa para elas[91]. Foi também a inauguração da exposição histórica na Casa Giacobbe, cerimônia da qual participaram uns duzentos congressistas vindos de Milão[92], transmitida depois, à noite, pela televisão. Cecco disse que tanto a cerimônia quanto a exposição correram muito bem e foram muito interessantes: é mérito seu também, Pedrin de ouro[93].

Daqui a 12 dias estaremos todos juntos. Você nem imagina como conto os dias e as horas! Não só eu, mas também Gigetto, que me pergunta sem cessar: "Quando papai vai chegar?" Nunca ficou tanto tempo assim longe de nós!

Amanhã à tarde Crotti me acompanhará a Milão com Zita e Gigetto, porque preciso distrair um pouco as crianças e porque às 16h30min esperaremos Piera na casa da tia Virginia, para o batismo de Simonetta[94].

Piera agora vai bem, mas sofreu muito; diz que já se esqueceu de tudo, porque Simonetta é uma ótima menina. É bem de-

---

[91] Como muitos se lembram, antes do Concílio, a festa de Corpus Christi, que liturgicamente ocorre na quinta-feira depois do domingo da Santíssima Trindade, era celebrada com grande solenidade e participação do povo.

[92] A exposição, por conseguinte, era acompanhada de um encontro de historiadores vindos principalmente de Milão.

[93] Como Gianna já deu a entender nas cartas anteriores, Pietro havia imaginado e feito confeccionar os painéis da exposição.

[94] Piera Angela Beretta, prima da beata, teve uma menina de parto cesariano.

pressa que o Senhor consola nossas mães, não é verdade? Mamãe, Zita e Cecco mandam-lhe as suas saudações afetuosas e nunca se esquecem de você.

Tchau, meu maridinho, como o desejo!

Um beijo bem forte com os seus tesouros e um abraço afetuoso, sua

Gianna

23

31 de maio de 1959
domingo

Meu caríssimo Pietro,
obrigada pelas suas saudações ao vivo. Ontem de manhã fui com Gigetto e Mariolina ao seu escritório para escutar a fita[95]. Pena que no seu toca-fitas a voz parece de barítono, e as crianças não ficaram muito convencidas de que fosse você. Bonita combinação mesmo, palavras e música, como agrada às suas crianças; compreenderão melhor quando forem um pouco maiores. Recebi também a sua carta de segunda-feira, 25, véspera de sua partida para o interior; felizmente são os últimos 10 dias, e que... também passarão. Nada mais esperamos senão que você diga quando deveremos buscá-lo em Malpensa. Pierluigi, à noite, antes de dormir, envia-lhe sempre um beijão com a mãozinha e diz: "Menino Jesus, leve este beijinho para meu paizinho". Ontem, em Milão, comprei para ele a primeira jaquetinha de lã. Deveria ver (tamanho de um menino de 4 anos), que homenzinho! Fica mesmo muito bem; agora, quando se veste, vai sempre se olhar no espelho e faz seus comentários: bonito, fico bem. Nem lhe digo. Esta manhã, queria a todo custo ir à missa, dizendo: "Também sou grande, sou capaz". Após a missa, fui com eles e Zita a Milão, à procura de tia Ginia[96]. Está

---

[95] Trata-se de uma fita cassete gravada por Pietro com as saudações para a mulher e os filhos.
[96] Virginia De Micheli era irmã da mãe de Gianna. Na época tinha 63 anos.

bastante bem: um pouco cansada, mas com bastante disposição. Mas espero Padre Alberto[97] para pedir-lhe um conselho. Estão chegando os companheiros de Padre Alberto; ele, ao contrário, vai de avião até Lisboa, em agosto, para depois ir até Fátima e Lourdes. Assim disse um frade da rua Monforte ao Padre Giuse[98]. Escrevi para Grajaú e agora esperamos uma resposta dele[99].

Chegou do Banco Bellinzaghi um outro aviso para a opção Edison. Devo responder até dia 8 de junho. Todas as 9 ações antigas não chegam a uma de 2000 liras. Responderei que sim; o que me diz? É preferível comprá-las; as ações velhas são 288, as novas serão 32[100]. Ginia, Nando e tia Piera[101] agradecem-lhe de coração as saudações que lhes enviou; respondem de coração e fazem votos para que tudo esteja e ande bem.

Bondoso Pedrin, fique tranquilo conosco que estamos bem, faça boa viagem e não se canse muito; se não chegar a tempo de fazer tudo, já fez tanto que os seus superiores podem estar mais do que satisfeitos.

As visitas dos ingleses Laminados continuam: anteontem, o Dr. Bottoni mais dois; ontem, ao contrário, com o Conde Gerli; é voz geral que os ingleses desejam negociar com a Saffa e querem você como diretor[102].

Tchau, meu querido Pietro, beijo-o muito fortemente e o abraço com todo o amor, junto aos seus tesouros. Sua

Gianna

---

[97] É o irmão franciscano, sacerdote e médico em Grajaú, Estado do Maranhão.

[98] Dom Giuseppe é o outro irmão e sacerdote, lotado na diocese de Bérgamo. Na rua Monforte, em Milão, era a comunidade franciscana à qual o Padre Alberto fazia referência. Aqui, Dom Giuseppe havia pedido e obtido notícias do irmão.

[99] Mais um sinal do amor e da união entre os irmãos Beretta.

[100] Mulher amorosa e caritativa, a beata era também cuidadosa e prudente na administração dos recursos da família.

[101] Tia Piera era a irmã caçula da mãe de Gianna.

[102] Laminados: estabelecimento comercial para a produção de laminados plásticos, "fórmica", utilizados na indústria de móveis e de eletrônica, surgida em 1950 por iniciativa do engenheiro Molla. Participavam como sócios a Saffa, o Conde Gerli e a sociedade inglesa Formica Thomas da Rua de Londres. O estabelecimento ficava em Magenta. O Dr. Franco Bottoni era diretor central da Saffa.

24

1º de junho de 1959
segunda-feira

Meu queridíssimo Pietro,
recebo neste exato momento os seus cartões-postais da semana passada e a carta aérea da fórmica[103]. Está mesmo, pode-se dizer, mais no céu do que na terra quando viaja! E quantos quilômetros em poucas horas! Acompanhamo-lo e pensamos em você, seguimo-lo com nossa prece e esperamos que esta seja verdadeiramente a última semana de distanciamento um do outro. Estou muito feliz porque todos o recebem com muita cortesia.

Aqui, na Laminados, não se entende mais nada, assim diz Zita[104].

Chegaram os convites para você: um para amanhã, inauguração da basílica[105], e outro para quinta-feira, 4 de junho[106]. Passei-os à Saffa, que provavelmente passará ao engenheiro Tarsi[107].

A exposição histórica, graças ao seu trabalho, tem grande êxito, seja pela elegância com que foi montada seja pelo conteúdo. Há sempre muitas pessoas visitando-a.

Nós estamos sempre todos bem. As azias são contínuas; pelo menos assim tenho algum sofrimento para oferecer ao Senhor por você, Pietro querido, para que possa voltar logo são e salvo.

Os nossos maravilhosos gênios brincam, divertem-se no jardim o dia todo! Comem com apetite e dormem. Mandam sempre as suas saudações e beijos a todo avião que veem passar.

---

[103] Na verdade, Pietro, na carta de 27 de maio, falava de Cincinnati, pátria da fórmica, o laminado plástico usado como revestimento na indústria de móveis e como componente na indústria eletrônica e mecânica.

[104] Na época, Zita trabalhava no laboratório do estabelecimento da Laminados Plásticos, fábrica ligada à Saffa, que, como se percebe pela carta, estava acontecendo uma nova ordem societária. Em todo caso, na carta de 29 de junho, é evidente que ainda não realizada, Pietro escrevia: "Tranquilize Zita e diga-lhe de modo reservado que o estabelecimento da Laminados Plásticos tem pela frente um futuro garantido".

[105] Trata-se, na realidade, da nova abertura após os trabalhos de restauração.

[106] Em 4 de junho transcorria o centenário da batalha de Magenta.

[107] Engenheiro Pietro Tarsi, diretor dos serviços gerais da Saffa.

Tchau, meu caro Pietro; obrigada por não me deixar mais faltarem suas notícias; espero-as sempre com muita ansiedade e muita alegria.

Grandes beijos, sua

Gianna

25

2 de junho de 1959
terça-feira

Meu querido Pietro,

são 21h; os nossos tesouros dormem há meia hora. Vão para a cama porque não aguentam de canseira. Estão sempre muito ativos[108]; ainda bem que têm o anjo da guarda[109]; fazem cada uma!

Esperamos que, ao crescerem, fiquem mais comportados.

Hoje, grande recepção e grandes festas pela chegada de Dom Montini[110].

Não saí, mas Zita disse que havia muita gente e ainda agora se percebe que passam homens, mulheres, crianças, todos direto para a igreja, porque se trata de uma procissão solene, com a ânfora do Santo Crisma, o que não acontece há muitos e muitos anos.

Amanhã de manhã, às 8h, mamãe e Teresina vão a Monza com Crotti, para buscar sóror Luigia[111] e levá-la à estação central. Veio, como de costume, para orientar e educar crianças. Está bem, porém muito cansada; assim disse pelo telefone.

E você? Quem sabe onde estará hoje e a esta hora?

---

[108] As testemunhas confirmam que as crianças de Gianna e Pietro eram bastante espertas. A beata, todavia, sempre se opôs a toda tentativa de frear sua natureza exuberante.

[109] A fé torna-se um precioso aliado para fundamentar uma boa pedagogia familiar.

[110] Giovanni Battista Montini, arcebispo de Milão, futuro Papa com o nome de Paulo VI.

[111] Sóror Luigia Molla era irmã de Pietro. Ela morava em Imperia, Porto Maurizio, e era diretora do internato "Sorriso d'Italia" com escola primária e colônia de férias. A mãe e a sobrinha aproveitam a ocasião para irem a Monza, onde Irmã Luigia havia passado a noite, na sede das Irmãs do Preciosíssimo Sangue, a fim de acompanhar a religiosa a Milão e passar algumas horas com ela.

Aguardo algum cartão-postal de São Francisco, a última longa etapa de sua viagem.
Aqui, todos me perguntam quando voltará.
Daqui a 10 dias, meu querido Pedrin, e depois... paremos com as longas viagens! Você será todo nosso.
Beijos dos seus tesouros, passe bem, não se canse muito.
Um fortíssimo abraço da sua afeiçoadíssima

Gianna

26

3 de junho de 1959
quarta-feira

Pietro, meu queridíssimo maridinho,
acabo de receber os seus cartões-postais e as cartas de Chicago: não sei como agradecê-lo por não me deixar ficar um só dia sem suas notícias. As crianças estão felizes com seus cartões-postais e, sobretudo, porque papai voltará logo. Estou muito feliz pela bela notícia de que terça-feira, dia 2, inicia-se a sua viagem de retorno, ou melhor, de aconchego junto a nós.

Deo gratias! Que o Senhor o acompanhe, como sempre, em suas viagens.

Nós continuamos sempre bem. Na próxima semana, após uma bela limpeza de nossa casinha, voltaremos para ela[112], na expectativa de que chegue o nosso caríssimo e muito amado papai.

Não faz muito calor, por ora, e esperamos que também você não deva sofrer muito com as altas temperaturas.

Estou feliz porque está bem, nada de dor de dente e porque está bom do estômago.

Muitas saudações de Cecco e Zita.

Beijos grandes, muito grandes dos seus tesouros e da sua afeiçoadíssima

Gianna

---

[112] Como se recordará, na falta do marido, a beata morou com os irmãos Zita e Cecco, em Magenta. Agora, prevendo a volta do marido, a família preparava-se para voltar para Ponte Nuovo.

27

4 de junho de 1959
quinta-feira

Meu querido Pietro,
recebi esta semana o seu telegrama de São Francisco; fez ótima viagem: *Deo gratias*! Mas não posso mais acreditar que você volte; somente quando estiver conosco em Ponte Nuovo, estarei feliz e... tranquila. Fico satisfeita por ter recebido as nossas boas notícias em São Francisco.

A irmã do Dr. Partel[113] telefonou-me dando suas notícias e suas saudações. Talvez esteja calor na Califórnia.

Daqui a dois dias, o calor infelizmente será mais forte: hoje, 27º! As crianças transpiram e bebem água, mas estão bem.

Esta manhã ficaram muito alegres ao verem desfilar o cortejo com bandas, bandeiras etc.[114]

Agora, estão dormindo tranquilas como dois anjinhos queridos.

Ontem, mamãe pôde ficar um pouco com sóror Luigia[115]; achou-a muito bem; agradece-a, em nome de sóror Rosina[116], por ter telefonado ao seu irmão; imagine que quando sóror Luigia lhe leu a carta, na qual lhe dava notícias, sóror Rosina desmaiou de emoção e alegria.

São 23h; no campo de esporte percebem-se fortes estouros: são os fogos de artifício. Gostaria de mostrá-los, mas é muito tarde; acho que não estão mais acordadas.

Quais são as etapas de sua volta? Vai ainda a Paris? Meu caríssimo Pietro, imagino como está com saudades e como deseja voltar.

Não poderá pular algumas etapas?

Vou ver as crianças porque estão acordadas e, com medo, chamam-me.

Dormiram de novo: os fogos pararam.

---

[113] Partel Armando, médico de Magenta.

[114] O desfile festejava, como já se disse nas páginas anteriores, o centenário da batalha de Magenta.

[115] Religiosa da Congregação do Preciosíssimo Sangue, irmã de Pietro.

[116] Era uma coirmã de Irmã Luigia.

sexta-feira

Recebi os seus cartões-postais e a sua magnífica prece escrita no avião rumo a Los Angeles[117]. Alegro-me com as maravilhas da natureza; pela descrição, parece-me rever aquele filme tridimensional que vimos juntos com Manzoni[118], lembra-se?
Sempre nos lembramos de você e pensamos em você.
O sarampo também se alastra em Ponte Nuovo; espero levar as crianças semana que vem. Mandam-lhe beijos com muito afeto os seus tesouros.
Gigi está impaciente: quer pôr no correio a carta para seu papai. É sua tarefa: quando acompanha Zita à Laminados às 13h30min, vai com Cecco ao correio para postar a carta.
Muitas saudações de sua mãe, de Zita e de Cecco.
Beijos grandes, muito grandes. Sua

Gianna

Você é mesmo um caríssimo e muito afetuoso maridinho, um santo papai; não de ouro, mas de brilhante, o maior e o mais precioso que existe na face da Terra. Tchau, tesouro, até o próximo e rápido encontro.

---

[117] Em 31 de maio, em voo para Los Angeles, Pietro escreveu: "Jesus, que me criaste e conservaste entre graças e bênçãos ilimitadas; tu... que me outorgaste o presente imenso de uma mulher de ouro, como a aurora maravilhosa, que só aqui de cima se pode admirar, e de dois tesouros esplêndidos, como o céu no seu pleno fulgor, que só aqui de cima se pode contemplar; tu que, dentro em breve, repetirás o dom divino de mais um tesouro, escuta as minhas preces. Abençoa Gianna e os nossos tesouros! Transforma em graça as angústias e as preocupações por minha ausência e os meus voos".

[118] Na mesma carta, Pietro fala da emoção experimentada ao sobrevoar as montanhas rochosas e o Grand Canyon.

28

6 de junho de 1959
sábado

Meu queridíssimo Pietro,
você nem imagina como contamos os dias que faltam para a sua chegada.

Agora penso na sua viagem de volta para Nova York e, depois, para a Itália.

"Papai, volte logo", Gigi diz a todos e espera com ansiedade o dia de ir esperá-lo em Malpensa.

Toda manhã, ao acordar, pergunta-me: "Mamãe, é hoje que papai chega?" Mariolina também o saúda sempre, abanando as suas mãozinhas quando passam os aviões.

Aqui, sempre bastante calor, e aí?

Julgo que precisará mandá-los antes do fim do mês para Courmayeur[119].

A senhora Valle[120] não mais me respondeu ao seu despacho há um mês, mas é o seu sistema.

Nós continuamos sempre bem, como também os seus.

Mamãe ficou muito contente quando soube que foi visitar os seus parentes[121].

Tchau, Pedrin de ouro, fique bem e até a próxima carta; beijos das suas crianças e da sua afeiçoadíssima

Gianna

---

[119] Aproximando-se o grande calor costumeiro do verão, Gianna pensava mandar os filhos para Courmayeur, de férias.

[120] Era a proprietária da casa que o casal Molla alugava há alguns anos em Courmayeur.

[121] Sábado, 30, e domingo, 31 de maio, Pietro visitou dois primos, filhos do irmão de sua mãe, em Lincoln, Nebraska.

29

7 de junho de 1959
domingo

Meu muito querido Pietro,
são 16h e, enquanto os nossos tesouros estão no jardim a brincar, pensando nas mesmas 16h[122] de domingo passado, não posso esconder-lhes que me sinto um pouco triste. Pietro, estamos muito distantes um do outro, e a carta demora muito a chegar! Depois, acho que as minhas cartas tampouco chegam até você, ou melhor, quando as recebe, recebe-as com atraso. O meu pensamento está sempre em você, nas suas viagens de avião; acontece sempre; quase todos os dias, leem-se nos jornais notícias de desastres aéreos. Não comento, mas rezo e tenho fé no Senhor.

Esta semana estive com Zita e as crianças em Milão, com a Irmã Virginia[123]; pude conversar com ela por mais de duas horas. Eles fizeram todas as suas estripulias: brincaram, dançaram, cantaram. A Rita[124] já não tem mais nenhum sinal de sarampo, tanto que Nando acha que o que ela teve foi uma espécie de alergia. No entanto, vimo-la também.

Pierluigi fala frequentemente de seu papai e ainda hoje me ajudava a arrumar a sala, porque "seu papai" deverá chegar. Sempre que ouve um avião, olhando para o céu, saúda-o: "Olá, papai, volte logo", e Mariolina agita sua mãozinha ao alto e diz: "Papai, papai!" À noite, Gigi quer o beijo que lhe manda o papai distante: quer um na fronte, um nas maçãs do rosto, outro na boca; que anjinho!

Querido Pedrin, e agora muitos e muitos beijos da sua Gianna que lhe ama, pensa em você e o quer sempre feliz.

Um abraço com todo o amor

Gianna

---

[122] O domingo anterior Gianna não havia passado muito bem.

[123] Virginia, irmã mais nova de Gianna, religiosa canossiana.

[124] É a filha de Nando, sobrinha da beata.

30

8 de junho de 1959
segunda-feira

Meu queridíssimo Pietro,
espero que minha carta, chegando a Nova York, não o encontre mais aí, porque já estará em viagem de volta. Está aqui ao meu lado Gigetto, que não me deixa escrever tranquila. "Também quero escrever", continua dizendo. Sábado, passou uma forte febre, acetonemia, mas passou logo; de manhã já estava esperto e vivo como de costume.

Como faz bastante calor, bebem muita água, acho que tenha sido o excesso de água. Aguarda o seu papai, e para a sua festa[125] quer: uma grande carriola de ferro, uma bicicletinha e um carro grande como o de Alberto[126].

Que desejos, entendeu?

Ontem, aqui em Magenta foi a festa dos *bersaglieri*, portanto houve o desfile dos vários batalhões de *bersaglieri* com suas fanfarras. Imagine as crianças o tempo todo à janela para ver o espetáculo; depois, às 17h passaram os corredores do "circuito da Itália". Um vaivém de bicicletas, motos, carros. Um helicóptero aterrissou aqui perto de nosso vinhedo. Gigetto pensou que fosse o seu aparelho: "Papai chegou! Está aqui no jardim".

Caríssimo Pietro, não sei como lhe agradecer as suas magníficas e afetuosas cartas que todo dia teve a bondade de mandar-me. Suas cartas exprimem todo o seu amor por mim e pelos seus queridos tesouros, palavras que refletem a sua boa índole, doce, o seu grande coração, a sua fé, o seu espírito de oração[127].

Obrigada, obrigada de coração por tudo.

---

[125] Refere-se à festa pelo onomástico do filho, que era celebrado dia 21, por ocasião da festa de São Luís.

[126] Alberto, filho do Dr. Nando, irmão da beata.

[127] Escrevendo de Red Bluff, na Califórnia, Pietro dizia: "Sentia-me muito perto de vocês naquela devota igreja, como se estivesse diante do mesmo Crucifixo, da mesma imagem da Imaculada Conceição, das imagens de São José e de São Francisco de Assis de nossa igreja.

Na expectativa de poder abraçá-lo e beijá-lo com muito e muito amor. Sua

Gianna

Até breve, papai! Gigi e a menina o esperam e mandam-lhe um beijo forte, forte[128].

31

9 de junho de 1959
terça-feira

Meu muito querido Pietro,
esperava receber o telegrama com a notícia: "chego até quinta-feira 11" e, pelo contrário, ainda até terça-feira[129]. Sempre *fiat*! Sua mãe me dizia ontem que não deveríamos deixá-lo partir, que deveria opor-me. "Palavras vazias – respondi-lhe – faz parte de suas obrigações"; mas com meus botões eu dizia: basta de Saffa, pare um pouco de viajar, já fez muito! E hoje recebo a sua carta de 4 de junho, na qual me diz declaradamente que não chega dia 14.

Pobre Pedrin, fico triste com o calor e as mudanças de temperatura que não lhe farão muito bem, com toda a certeza.

---

[128] Escrito por Gigi e Mariolina.

[129] Pietro, na realidade, voltou quarta-feira, dia 17. As condições de saúde de Gianna passaram por um agravamento que a obrigou, no dia 15 de junho, a internar-se no hospital. É esse, talvez, o motivo pelo qual as cartas ao marido foram interrompidas por alguns dias antes de sua chegada. Vejamos como a mesma Gianna relatava o fato à amiga Mariuccia Parmigiani: "Há um mês, exatamente dia 15, tive de ser internada com urgência por causa de uma intoxicação. Tinha muitas dores, contrações espasmódicas ininterruptas, febre, vômito. Corria o risco de perder o meu bebê.

Muito amedrontada, obedeci a Nando e aceitei ser levada para Monza; já era meia-noite, e naquele hospital já me esperava o professor obstétrico que conhecemos muito bem; foi assim que, com balão de oxigênio, calmantes e hipodermóclise tudo passou e pude, depois de dois dias, ir ao aeroporto de Malpensa para encontrar-me com Pietro que, não sabendo de nada, voltava dos Estados Unidos da América" (Carta à amiga Mariuccia Parmigiani, 18 de julho de 1959).

Flavio[130] o esperava, porque o queria para padrinho. Pensei dar-lhe de presente um relógio: irei ao Pozzi.

Nós continuamos bem. Gigetto livrou-se totalmente da indisposição de sábado[131]. Tem sempre muita sede, mas também faz muito calor (temperatura a 30°); parecem mesmo os dias sufocantes de julho.

Envio-lhe um artigo de jornal sobre os laminados plásticos, publicado no "Correio da Tarde" de hoje.

Domingo de manhã Dom Pignedoli chega às 7h45min; às 8h inicia a missa e a Primeira Comunhão. Terminada a missa, confirmação do Batismo, Crisma.

À tarde, às 17h, procissão, como todos os anos.

Meu querido Pietro, você se lembra da festa de Ponte Nuovo de 1955? Foi a primeira vez que fui à sua casa, e como já nos amávamos! E é exatamente por esse grande amor recíproco que agora ficar distantes um do outro é grande sacrifício.

Que o Senhor o acompanhe sempre nos voos que ainda deverá fazer!

Os seus tesouros não passam um dia que não perguntam por você.

Mamãe sempre se lembra de você e o saúda com muito e muito carinho; passe bem e não exagere no trabalho.

Um beijo com o maior amor na expectativa de abraçá-lo e apertá-lo fortemente de encontro ao meu coração. Sua afetuosíssima

Gianna

---

[130] Flavio era sobrinho de Pietro e preparava-se para receber o sacramento da Crisma.
[131] Tratava-se de acetonemia.

IV

"ESTOU JUNTO DE VOCÊ COM O CORAÇÃO E COM A PRECE"

(junho de 1960 a fevereiro de 1961)

1

27 de junho de 1960
segunda-feira à noite

Meu querido Pietro,
enfim, em nossa casinha "querida"[1], como a qualificou Mariolina. O tempo estava bonito; por isso as crianças ficaram o dia todo fora, no campo.
Lauretta[2] já mudou de cor e come com um apetite nunca visto. Hoje não dormiu; por isso esta noite, desde às 8h, mais ou menos, dorme no quarto com Mariolina, feliz por ter uma irmãzinha a quem fazer companhia. Gigetto, ao contrário, foi somente agora, e por ora tudo é silêncio. Querido Pietro, como é bom poder estar com eles dia e noite, segui-los e alegrar-me com eles. Compreendo como possa ficar triste quando, voltando para casa, à noite, não os encontre para brincar um pouco. Além disso, nem lhes parece verdade ter a sua mãe por perto e toda só para eles. Gigetto, talvez porque obrigado a ir primeiro à escola, agora nada mais faz senão me chamar e quer que eu seja toda só para ele[3].
São três tesouros; pena que falta o meu quarto grande tesouro, o meu muito amado e afetuosíssimo Pedrin. Penso em você muitas e muitas vezes; estou junto de você com o coração e com a prece[4]. Não se desgaste demais no trabalho, entendeu? À noite, vá logo para a cama. Eu também, às 22h, se não antes, já estou na cama; ontem à noite, às 9h30min, já estávamos todos dormindo.
Obrigada por seus telefonemas; Pierluigi também não vai para a cama logo, porque quer "conversar com o meu paizinho".
Agora lhe faço o rol de compras: maçãs; laranjas; bananas; 2 kg de carne, a costumeira que pego em Mesero; um travesseiro

---

[1] Trata-se sempre da casa da senhora Valle, alugada pelo casal Molla, para as férias de verão.

[2] Laura nasceu no dia 15 de julho de 1959. Tinha, portanto, 11 meses.

[3] Nota-se a tensão entre os cuidados da médica atenta aos seus pacientes e o desejo de estar ao lado dos filhos.

[4] Um binômio que deveria caracterizar sempre a relação entre os casais cristãos. Assim, o matrimônio cristão é ao mesmo tempo profundamente humano e cristão, fundamentado no amor de Cristo.

para a caminha de Gigetto, porque estes são muito altos para ele; para Mariolina, os discos arranhados que estão na bolsinha vermelha; os discos de 33 rotações, grandes; o seu sobretudo; um travesseiro de penas para você; uma cadeira de braços.

Talvez seja bom que você e Crotti venham com dois carros; assim o fiat 600 fica aqui para levar as crianças para passear.

Por ora, nada mais. Fique tranquilo conosco que estamos todos bem. Gianfranco[5] é o anjo da guarda de Gigetto. Saudações a mamãe e a Adelaide de todos nós. A você um forte abraço dos seus tesouros e da sua afeiçoadíssima

Gianna

2

4 de julho de 1960
segunda-feira à noite

Meu queridíssimo Pietro,
os nossos tesouros dormem tranquilos e felizes: felizes pela magnífica casinha que o papai preparou para passar suas férias. Pierluigi e Mariolina, como duas "crianças grandes", dormem sozinhas e já se sentem pessoas importantes. Quando acordam pela manhã, falam, contam histórias um para o outro; estão satisfeitos com seu pequeno quarto, com suas belas caminhas de colchas azuis. Pierluigi tem sobre o criado-mudo Nossa Senhora de Lourdes fosforescente; e ai se as irmãzinhas ousarem tocar nela! Durante o dia, brincam no jardim, ora com as pedrinhas, ora com suas construções; depois os levo comigo e com Savina para o alto, para Verrand, onde não há perigo[6]. Vieram todos: Laura e as crian-

---

[5] Sobrinho de Pietro, era alguns anos mais velho que Pierluigi.

[6] Após as cartas um tanto ansiosas de 1959, quando a beata estava grávida do terceiro filho e o marido estava distante, as cartas do verão de 1960 impressionam por sua serenidade. Deixam intuir uma vida familiar rica e harmoniosa em conformidade com o amor por Deus, pelo marido, pelos filhos, pelos parentes, pelos amigos, pela vida. É esse, aliás, o período da maturidade, da plenitude da vida humana e espiritual da beata.

ças[7]. Pierluigi, Mariolina e Lauretta mostraram com grande entusiasmo todas as dependências da casinha, por dentro e por fora. Você deveria vê-los, que tesouros; é verdade que o ambiente alegre, bonito, cheio de luz e sol torna as crianças mais calmas; também elas estão bastante alegres. Papai, tudo devemos ao senhor: muito, muito, muito, muito obrigado, também em nome de seus tesouros.

Acompanho você e penso a todo momento em suas viagens, em seu trabalho, e estou muito perto de você com todo o afeto e todo o amor[8].

Esperamos você sábado; venha depressa, não muito tarde da noite.

Beijos de suas queridas crianças e muitos e muitos de sua afetuosíssima

Gianna

3

6 de julho de 1960
quarta-feira à noite

Meu queridíssimo Pietro,

estou feliz por sua viagem[9] ter transcorrido bem e por ter ouvido a sua voz; parecia-me, porém, muito cansado. Certamente terá uma grande necessidade de algumas semanas de repouso absoluto.

Como poderá continuar dessa maneira? É tão bom passar o dia todo em companhia de nossos queridos tesouros. No momento, estão bastante tranquilos; é necessário, porém, segui-los e fazer de tal maneira para que não tenhamos de repreendê-los.

---

[7] Laura Viola, mulher de Ferdinando, era cunhada da beata. Reconstruía-se assim a alegre companhia dos anos anteriores.

[8] Já se havia passado, enfim, cinco anos do dia do casamento. Longe de enfraquecer, o amor de Gianna tinha-se tornado mais maduro e intenso.

[9] Como se pode concluir dessa mesma carta, Pietro esteve alguns dias em Stoccarda, na Alemanha.

Esta manhã, chegamos a pé em Pré-Saint-Didier, para retirar os cupons[10], mas não os puderam entregar-me, porque não havia a autorização dos senhores Coltelli[11].
Telefonei para a senhora e ela garantiu-me que amanhã seu marido irá à cidade.
Se sábado, quando passar por Pré-Saint-Didier, quiser parar no município, você mesmo poderá retirá-los.
Deveria ver Lauretta como caminha, sem mais precisar de ajuda. Hoje comprei para cada um deles um par de sapatos com sola de borracha, pois precisavam.
Aqui, o tempo hoje estava maravilhoso e esta noite cai um forte orvalho e há um céu estrelado magnífico.
Faço-lhe agora a relação do que é necessário:
— ferro de engomar, o mesmo que sempre usamos;
— espremedor de laranjas;
— frigideira oval grande (rasa) para bistecas, de aço inoxidável;
— baixela para salada;
— peça à Adelaide um novelo de lã branca para terminar a blusa da nenezinha;
— um calendário para a cozinha (para marcar diariamente os litros de leite comprados);
— compre do vendedor de frutas de Boffarola[12]: 3 kg de laranjas, 3 kg de maçãs, 1 kg de banana.
Coloque tudo numa sacola, por favor, porque preciso voltar[13].
Tchau, Pedrin, desculpe se a relação é um pouco longa e o fará perder um pouco de seu precioso tempo.

---

[10] Trata-se de cupons ou vales de gasolina. O governo dava-os de presente naquela época, para incrementar o turismo.

[11] Os senhores Coltelli eram os donos da pequena casa de campo de Verrand (Courmayeur) que a beata e o marido alugaram para a temporada de 1960 a 1961.

[12] Boffalora Ticino fica a poucos quilômetros de Ponte Nuovo.

[13] Nos dias seguintes, Gianna deveria voltar a Magenta provavelmente por exigências do trabalho, enquanto Pietro continuava em Courmayeur.

Esperamos você; nem pode imaginar com quanta alegria!
Saudações queridas para mamãe, para Adelaide e para os sobrinhos.

Um beijão das suas crianças que dormem bastante tranquilas, obrigada por suas saudações cada vez mais afetuosas de Stoccarda.

Um forte abraço de sua

Gianna

4

julho de 1960[14]

Meu queridíssimo Pietro,
obrigada pelas suas carinhosas saudações que retribuo de todo o coração, e com as saudações muitos beijos também das suas crianças. Lauretta, pela manhã, ao despertar, agora chama papai, papai. Que tesouro! Pena que está com alguns acessos de tosse. Gigetto esta noite teve as costumeiras crises de coqueluche e até agora, duas vezes. Paciência, esperamos que o ar daqui de cima e os cuidados contínuos cortem os ataques muito fortes.

Hoje, o tempo está feio, frio e todo encoberto, mas agora com o fiat 600[15] também posso levá-los montanha acima.

Aguardamo-lo, nem pode imaginar com que alegria, no próximo sábado à tarde; venha depressa.

Teríamos: o *vinho* e quase dois salames que ainda restam; a carne eu a compro, *laranjas* e *maçãs*. Por ora, nada mais.

Obrigada pelas duas magníficas fotografias: coloridas, que beleza! O dinheiro é mais que suficiente.

---

[14] A data não é exata. Em todo caso, é de julho de 1960. Tomando-se como base o conteúdo, entendi que poderia colocá-la entre a carta do dia 6 e a do dia 12. Poderia ser ainda de quinta-feira, 7, ou sexta-feira, 8 de julho.

[15] Cf. a carta de 27 de junho. O marido, então, tinha-lhe levado o carro com o qual a beata poderia ir aos lugares mais próximos com as crianças.

Tchau, Pedrin de ouro, passe bem, não trabalhe muito e até sábado.
Beijos de todos nós e saudações para a mamãe.
Sua afeiçoadísima

Gianna

5

12 de julho de 1960
terça-feira

Queridíssimo Pietro,
mando-lhe os supositórios para Gigetto.
Um pela manhã, ao despertar, e um à noite, antes de dormir[16].
Às duas, ao dormir, coloque-lhe um supositório de Guajakirsch. Esta manhã, fui à creche para avisar as Irmãs que providenciem as vacinas para todas as crianças[17]; infelizmente muitas delas estão com a tosse de Gigetto. De qualquer maneira, é melhor que os nossos estejam na montanha, o que é bom contra a coqueluche. Eu estou bem; a dor de cabeça, após um sono de 10 horas ininterruptas desta noite, já passou. Estou aqui; o meu pensamento, porém, está sempre em vocês, nos meus queridos tesouros.
Sábado à noite chegarei tarde, espero que com Zita[18], porque certamente sábado virá o seu novo diretor, um engenheiro da Alcha (acredito que se escreva assim), e talvez ainda um diretor para a fábrica, mas não há nada certo.
Enviei-lhe uma carta expressa, recebida esta manhã; enquanto uma registrada ao Banco Bellinzaghi eu a levarei para você.

---

[16] A beata escreve de Magenta, para onde havia retornado por motivo de trabalho, enquanto o marido permanece em Courmayeur com as crianças.

[17] Nota-se o empenho profissional da beata. Está preocupada com os seus filhos; no entanto, de repente os seus cuidados estendem-se às crianças da creche.

[18] Como em outros casos, de fato, Gianna morava com Zita e Cecco em Magenta.

Beijos para as crianças e dê-me notícias delas; saudações a todos e a você um forte abraço. Sua

Gianna

Para inalação, compre uma *ampola injetável* de *Strepto--Chemicetina*: dilua-a com a ampola que vem junto com o frasco, mais uma ampola daquela cesta vermelha que está em cima do bufê e aplique-lhe duas vezes ao dia; se ainda houver líquido na bombinha, troque-o antes de colocar-lhe outro, lave-a com água.

Obrigada, Pietro, mas desejaria evitar que o atacasse a coqueluche. Beijos a todos e um particular para Lauretta, sexta-feira de manhã[19]. Não convidem os priminhos. Façam vocês a festinha[20] com a torta e as velinhas. Um abraço e até sábado.

6

14 de fevereio de 1961

Eng. Pietro Molla
Saffa, Ponte Nuovo, Magenta
(Milão)

Queridíssimo papai[21], agradecemos o cartão-postal, o seu pensamento, todas as suas carinhosíssimas palavras. Ficamos tristes por não estar aqui conosco, deliciando-se com o bonito sol e a belíssima neve de Courmayeur! Divertimo-nos muito. Obrigado, papai, porque nos trouxe aqui para a montanha! Muitos beijos de nós todos, da mamãe e até sábado.

Os seus três tesouros

---

[19] Sexta-feira, dia 15, seria o primeiro aniversário de Laura.

[20] A beata receava que Pierluigi pudesse transmitir a coqueluche aos primos ou mesmo um aumento de trabalho para o marido.

[21] É um cartão-postal escrito a Pietro por Gianna em nome das crianças. É uma maneira de transmitir aos filhos o carinho e a gratidão que transbordava o coração da beata.

7

Courmayeur, 4 de fevereiro de 1961
terça-feira à noite

Meu caríssimo Pietro,
os nossos três queridos anjinhos dormem depois de terem caminhado, brincado, esquiado. Esta noite estavam cansados.
Pierluigi não quis comer e preferiu um pouco de chá.
Amanhã vou levá-los ao jardim; assim se cansam menos.
Esperamos que o tempo continue a ser sempre bonito: um sereno e um sol muito quente do mês de julho, as montanhas claras, mais bonitas do que as do verão[22].
Em Checrouit, todas as senhoras estão na espreguiçadeira a tomar sol e a bronzear-se, enquanto as crianças com os esquis e os trenós não ficam quietas um só instante.
Lauretta hoje só fica no colo; é necessário algum tempo para que se acostume com o novo ambiente, com a neve e com o sol.
Mariolina, ao contrário, sobe e desce com seus esquis sobre a neve com desenvoltura.
Como lhe disse pelo telefone, Pierluigi este ano diverte-se muito com seu pequeno trenó e não sente medo nenhum ao descer sozinho; em seguida, sobe outra vez, tirando o trenó, e depois de uma hora dessa ginástica, sente-se cansado e diz: "Hoje brinquei muito".
Pena que para chegar em casa são 20 minutos de estrada; seria muito mais cômodo ter uma estaçãozinha de esqui bem perto, ao lado de casa.
Meu querido Pietro, quanto penso em você! Como gostaria que estivesse aqui conosco. Obrigada por tudo, Pedrin de ouro, por seu grandíssimo amor, por seus cuidados, por sua bondade[23].
Os seus tesouros mandam-lhe beijos com muito carinho e com eles a sua muito amada

Gianna

---

[22] Os poucos indícios mostram-nos a paixão de Gianna pela montanha e o seu amor pela vida.

[23] É esta a última carta de Gianna ao marido. Aos poucos as ausências entre os cônjuges tornaram-se menos frequentes. Além disso, eles serviram-se mais do telefone para comunicarem-se. É, de qualquer maneira, significativo que também esta última carta termine com uma tão bela declaração de amor e de gratidão. Vale a pena, aliás, chamar atenção para o telegrama de Pietro, datado de 29 de setembro de 1960, quinto aniversário de casamento, celebrado em 1955: "Na quinta mais alegre data, junto aos nossos maravilhosos tesouros, e com todo o amor. Pietro".

ÍNDICE

Prefácio 5

Apresentação 9

Introdução 11
   1. A vida 12
      Infância e juventude 14
      Noivado e casamento 19
   2. As cartas 28
      O conteúdo e a espiritualidade 31
      As cartas de noivado 31
      As cartas dos primeiros anos de casamento 34
      As cartas da viagem aos Estados Unidos da América ... 35
      As últimas cartas 36
   Conclusão 37

  I. "Quero mesmo fazê-lo feliz"
    (fevereiro a setembro de 1955) 41

 II. "O seu grande amor me ajudará a ser forte"
    (dezembro de 1955 a julho de 1958) 57

III. "Suas cartas exprimem todo o seu amor por mim
    e pelos seus queridos tesouros" *(abril a junho de 1959)* 87

IV. "Estou junto de você com o coração e com a prece"
    (junho de 1960 a fevereiro de 1961) 133

Este livro foi composto com as famílias tipográficas Times e Times New Roman
e impresso em papel Offset 75g/m² pela **Gráfica Santuário.**